黒笑小説

東野圭吾

JN282310

集英社文庫

黒笑小説——目次

黒笑小説

もうひとつの助走

灸英社《きゆうえいしや》の神田《かんだ》がレストラン・バー『サンライズ』に到着したのは午後五時ちょうどである。店員に名前を告げると、店の奥にある個室に案内してくれた。個室といっても、十人程度ならばちょっとしたパーティができるぐらいの広さはある。

当然のことながら、まだ誰《だれ》も来ていなかった。神田は入り口に近い椅子《いす》に腰掛け、煙草《たばこ》を取り出した。火をつけ、一服してから腕時計を見る。長針はまだ二分しか進んでいなかった。

(やっぱり五時に集まる必要はなかったかな)

灰皿に灰を落としながら彼は思った。関係者には、「五時頃《ごろ》に集まろう」と声をかけてあった。そのことに異論を唱える者もいたのだが、結局神田の指示が生かされることになったのだ。

(五時半でもよかったな)

たぶんほかの者はもっと遅れてくるだろうと神田は予想した。選考会の始まるのが五時なのだから、結果が出るのはそれよりもずっと後になる。それにこれまでこの賞の選考が一時間以内で終わったことなど一度もない。

（まあいいか）

神田は足を組んだ。じつは一人になりたい気分でもあった。会社を出る少し前にかかってきた妻からの電話を思い出していた。

「やっぱりだめだったって。これから予備校の手続きをしてくるって電話があったわ」

妻の声は低く暗かった。その声で神田の心もどんよりと曇った。

今日は息子の大学合否発表の日でもあったのだ。これまで受験した大学はことごとく落ちている。今日発表のあった大学は最後の砦《とりで》だったのだ。しかしそれも落ちたという。もはや浪人しかない。

（余分に金がかかることもそうだが、これからまた一年、あの鬱陶《うっとう》しい思いを味わわねばならないのかと思うと気が滅入《めい》る。息子のふてくされた顔、女房のヒステリー。うんざりする）

二本目の煙草に火をつけようとした時、ドアが開いた。入ってきたのは『小説灸英』編集部の鶴橋《つるはし》だった。

「あっ、神田さん。お一人ですか」

「うん、やっぱり五時というのはちょっと早すぎたかな」

「だからいったじゃないですか」鶴橋は笑いながら神田の向かい側に座り、きょろきょろした。「ええと、寒川《さむかわ》さんはどこにお座りになるかな」

「その中央の席がいいんじゃないかな」

「ああ、そうですね」

鶴橋はテーブルを指先でこつこつと叩《たた》いた。やはりそわそわして見える。

「なあ」神田はいった。「一昨日《おととい》、花本《はなもと》先生のところに行ったんだろ」

「はい」

「先生、今日のことで何かいってなかったかい」

「ああ……」鶴橋は頭を掻《か》いた。「さすがにはっきりしたことは何も。ただ……」

「何だ？」

「望月《もちづき》さんのことをちらっとおっしゃってました。彼はもう候補になったのは三度目だなって。いい加減、欲しいだろうなと」

「何だよ、それ。望月さんを推すってことかな」

「そうじゃないんですか。だって寒川さんは候補になるの五度目なんですよ。でも寒川さんのことは何もおっしゃってませんでしたから」

「じゃあ花本先生は、やっぱり望月さんか」神田は顔をしかめた。

「花本先生、ああいう作風が好きですからねえ」

「そうだよなあ」神田は煙草をせわしなく吸った。「文福社《ぶんぷくしゃ》からの情報だと、鞠野《まりの》先生は乃木坂《のぎざか》さんで決まりらしい」

「ああ、やっぱり」鶴橋は頷《うなず》く。「前回の選考でも鞠野先生一人だけ乃木坂さんを推してましたものねえ。それで自分の意見が通らなかったことを、えらく根に持っているとか」

「だから今回は折れないと思うよ」ため息をつき、神田はもう一度時計を見た。五時十五分になっていた。

「ビールでも注文しましょうか」

「そうだな」神田は同意した。

（ちぇっ、ついてないな。どうして俺《おれ》がこっちにいなきゃならないんだ）心の中にある不満を隠し、鶴橋はビールを飲んだ。（本来なら、俺だって乃木坂さんと一緒に発表を待つはずだったんだ。何しろ俺はずっと乃木坂さんの担当なんだからな。そりゃあ寒川さんの担当でもあるけど、まだ替わったばかりじゃないか。俺自身は寒川さんから、一枚の原稿だってもらっちゃいない。一番付き合いが長いのは編集長のはずだ。それなのに、あのヒゲおやじは）

編集長の声が耳に蘇《よみがえ》る。

「乃木坂さんのところへは僕が行くから、君は寒川さんのところへ行ってくれ。もちろん、もしそっちが受賞ということになれば、あとで駆け付けるから」

(何が、もしそっちが受賞ということになれば、だ)鶴橋は腹の中で舌打ちをした。(そんな可能性が低いってことは、よくわかってるくせに。おいしいところだけ取ろうって魂胆だ。大体、あのヒゲおやじなんか、編集長になるまで乃木坂さんと会ったこともなかったじゃないか。くそっ)

「あのさあ」神田が小声で話しかけてきた。「もしだめだった時は、どうする?」

「どうするって?」

「だから、この後だよ。ここで食事をして、その後どこかへ行くことになるかな」

「銀座とか?」

「うん。『まつげ』あたりに行けばいいかな」神田は文壇関係者がよく行くバーの名前を出した。

「いいんじゃないですか。おまかせしますよ」

「うーん。まあ、寒川先生次第なんだけどなあ」神田は浮かない顔で宙を見つめた。

(完全に落ちる気だもんなあ)鶴橋は白けた気分で思った。(本を作った担当者がこれじゃあ、期待できるわけないよな。ちぇっ、ついてない。いいな、乃木坂さんのところへ行

けた奴等《やつら》は)

その時ドアが開き、また一人入ってきた。金潮書店《きんちようしよてん》の広岡《ひろおか》という男だった。

「やっどうも」広岡は片手を上げ、神田の隣に座った。「寒川さんはまだだろ?」

「うん。そろそろお見えになる頃だと思うけど」神田は腕時計を見ていった。

「今日はちょっと長引くかもしれないな」広岡はいった。

「そうかな」

「うん。三すくみというのが、もっぱらの評判だろ」

「乃木坂さんと望月さんと……」

「寒川さん。あとの作品は、今回はないだろう」

「寒川さんの目、あるかな」神田が少し期待の混じった口調で訊《き》いた。

「俺はあると思ってるよ。何しろ、五回目だからな」

「うーん」神田は腕組みをして唸《うな》った。それから改めて広岡を見た。「もしだめだった場合、ここで軽く食事をした後、『まつげ』にでも行こうと思っているんだけど、それでいいかな」

「うん、いいんじゃないか。前に落選した時もそうしたよ」

「広岡さん、付き合ってくれるかい」

「ああいいよ」広岡は頷いた。

（断じて付き合わんぞ）言葉とは逆に、広岡は胸中で断言していた。（前に寒川のおっさんが落ちた時は、ひどい目にあった。ぐちぐちぐちぐち、延々と愚痴られた。いくら愚痴ったって、出ちまった結果は変わらないのにさ。選考委員の悪口をいっている間はまだいいが、最後にはこっちに怒りの矛先が向けられる。あのねちっこい口調で、「なあ広岡君、こういう賞取りというのには、独特の慣習みたいなものがあるんじゃないのかい。そういう点、君のところじゃきちんと押さえてくれたのかなあ」なんていいだした。いかにも、おまえらが根回ししなかったのがいけない、といわんばかりだ。冗談じゃない。編集者ごときの根回しで、あの頑固者揃《がんこものぞろ》いの選考委員が動くものか。とにかく落選したら逃げの一手だ。神田には悪いが、愚痴の聞き役はこいつに任せよう。大体、今度の本を作ったのはこいつなんだからな）

「鶴橋によれば、花本先生は望月さんを推すらしい。で、鞠野先生は乃木坂さんを推すだろうから、問題は後の選考委員だな」神田がぼそぼそといった。「狭間《はざま》先生は時代ものが好きだけど、今回の候補作に時代小説はないだろ。となると、誰を推してくるかな」

「狭間先生としちゃあ、今回は誰でもいいんじゃないか」広岡はにやにやした。「強いていえば乃木坂さんだな。あの人の作品だけがミステリ的じゃない」

「狭間先生はミステリが嫌いだもんなあ」

「SFも嫌いだ。コンピュータとかの出てくる情報小説もあまり好きじゃない。時代小説一本槍《いっぽんやり》だ。だから今回は候補作に時代小説がないということで、かなり不機嫌らしい。誰でもいいといいだすか、今回は受賞作なしといいだすかのどっちかだと俺は読んでるんだけどね」

「狭間先生には期待できないか」神田は頭を掻いた。「夏井《なつい》先生はどうだろう？」

「寒川さんを推すとすれば夏井先生だね」広岡は即座にいった。「あの先生は大御所のくせに、若手作家にも強烈なライバル意識を燃やすからな。読者がバッティングしそうな作品には点が辛くなると思うよ。その点、寒川さんは若手じゃないし、作風も全然違うから、ライバルにならないわけだ」

「でも積極的には推してくれないんじゃないか」

「うーん、どうかな」

「あとは平泉《ひらいずみ》先生か」神田は首を捻《ひね》る。「難しいなあ。あの先生も選考会のたびに、いうことがころころ変わるもんなあ。小説は面白いことが第一条件であるといってみたり、面白いだけではだめだといってみたり……」

「あのう」鶴橋が横から口を挟んできた。「先日のパーティでは、平泉先生は望月さんの作品を褒めてましたよ」

「えっ、本当か」神田は目を丸くした。「何といってた？」

「ほどほどに面白く、ほどほどに考えさせられる、バランスのとれた小説だと」

「何だよ、それ。えーっ、じゃあ平泉先生は望月さんで決まりか」神田は指を折って、何かを数えるしぐさをした。「すると望月さんと乃木坂さんに二票ずつ入りそうなわけか。寒川さんは三番手ってことになるぞ」

「まあここでそんな票読みをしたって仕方がないだろう」

「やっぱりだめかな」神田は顔をしかめた。「今回の作品は自信があったんだけどなあ」

「まだわからんじゃないか。俺は諦《あきら》めてないよ。このあたりで寒川さんにとってほしいと本気で思ってるんだ」

「寒川さんの次の本は、おたくから出るんだったたな」

「うん。だからここらで受賞してくれると、こっちも盛り上がるってもんさ」

(今回は取らなくていい)広岡は考えていた。(何も灸英社に儲《もう》けさせることはない。寒川が受賞するとすれば、今度出るうちの作品でなきゃ困る。今回は落ちろ。落ちちまえ)

「本当に、心の底から祈ってるんだけどねえ」広岡はそういって運ばれてきたビールを飲んだ。

そこへ寒川心五郎《しんごろう》がのっそりと入ってきた。スーツ姿で、頭は床屋に行ってきたばかりのようだった。三人の編集者は即座に立ち上がった。

「や、どうもどうも。わざわざ御苦労様。なんだ、広岡君まで来てるのか」笑顔でいいながら作家は中央の席についた。

「そりゃあもちろん、こういう日ですから」広岡は愛想笑いをする。「今日は先生も、珍しくスーツ姿ですね」

「えっ？　ああ、そうかな。珍しいかな。別に深い意味はないんだけどね。たまにはこういう格好もいいんじゃないかと思ってね」作家は少し心外そうな顔を見せた。

（わかりやすい男だな、相変わらず）広岡は思った。（記者会見のことを意識するのは早すぎるだろう。こういうところが鬱陶しいんだよな）

「大変よくお似合いです」と広岡はいった。

鶴橋が店員に声をかけ、料理を運び始めるよう指示した。

（スーツはやっぱりまずかったかな）寒川は編集者たちの表情を窺《うかが》いながら思った。（受賞するつもりだというのが見え見えになっちまったかもしれない。そういえばこの連中と

一緒の時にスーツを着たことはなかったかもしれない。失敗した）

「皆さんお忙しいんじゃないのかい」寒川は三人の顔を見回した。

「いやあ今日ばかりは、どんな仕事があっても後回しですよ」広岡がいう。

「後から扁桃社《へんとうしゃ》の駒井《こまい》君も来るそうです」神田がいい添えた。

「ふうん。扁桃社の」

（なんだ、ヒラ編集者の駒井だけか）寒川は顎《あご》を撫《な》でた。（部長は来ないのか。編集長はどうした。前に会った時は、期待しております、とかいっておったくせに。まさか、望月や乃木坂のほうに行ってるんじゃないだろうな）

料理が運ばれてきた。とりあえず、といって神田がビールグラスを持ち上げる。他の者も倣《なら》った。寒川もグラスをちょっと持ち上げて、一口舐《な》めた。それから彼は改めて三人の編集者の表情を観察した。

（こいつら、どう思っているんだろうな。本当に俺が受賞すると思ってここへ来てるのか。どうせだめだと思っているくせに、義理で仕方なく来ているんじゃないのか）

「僕の予想ではねえ」寒川はゆったりともたれ、足を組んだ。「本命が望月君、対抗が乃木坂さんというところなんだがね」

「えっ、そうなんですか」神田が驚いた顔をする。

「うん。というのは、こういう選考では、加点法じゃなくて減点法になってしまうことが多いだろ。その点、今回の望月君の作品は、特に欠点をあげる人は少ないような気がするんだ。で、乃木坂さんは、とにかく鞠野さんのお気に入りだからさ、鞠野さんが何としてでも入れようとするんじゃないかな」

「困りますねえ、寒川先生がそんな言い方をなさっちゃあ」神田が苦笑した。「肝心の、先生の作品はどうなんですか」

「僕は無理だろう」寒川は笑いながら首を振った。「こう何度も候補になっているとね、賞の選考がどういうものか、大体わかってくるんだよ。自分が候補になっているということを忘れて、ついつい客観的に分析してしまう。これは癖みたいなものだね」

「いやいやいや、こうして集まったのも、先生の受賞を信じているからなんですよ」

「いいよ、いいよ。とにかく今日は残念会をするつもりで来たんだ。気楽にいこう。気楽に」寒川はビールを一気にグラス半分ほど飲んだ。

（受賞を信じている、といったぞ）寒川は神田の言葉を反芻《はんすう》していた。（本心でいってるのか。この男はそういい加減なことをいう人間ではない。どちらかというと慎重なほうだ。すると、信じている、というからには、何か根拠があるのか。俺が、俺が、受賞する目があるということか）

「まあ、こういうことは早く終わってほしいもんだよ」寒川はため息をついた。「自分は特に気にしちゃいないんだが、周りがうるさくてかなわない。じつは今日が選考会だということも、うっかり忘れそうになっていた。女房にいわれて思い出したというわけだ。締切だって近いし、いろいろと面倒だよ」

「ええ、そうでしょうねえ」広岡が二度三度と首を縦に動かした。

（無理してやがる）広岡は寒川のグラスにビールを注《つ》いだ。（本当は賞が欲しくて欲しくてたまらないくせにさ。正直に欲しいといえばいいんだ。何を格好つけてやがる。まあいいや、これだけポーズを作るぐらいだから、今日は落ちたとしても、さほどぐじぐじいうことはあるまい。俺がお先に失礼といったところで、無理矢理引き留めるようなことはしないだろう。とにかく結果が出たら、すぐに次の行動に移らなきゃな。本命はやっぱり望月だろう。望月は銀座のホテルで待機しているんだったな。なるべくなら記者会見には間に合うように行かなきゃな）

ドアが勢いよく開いた。全員がぎくりとした様子で注視した。入ってきたのは扁桃社の駒井だった。「やあ、遅くなってすみません」

「なんだ、君か」広岡はうんざりした声を出した。「驚いたぞ。事務局から電話がかかっ

は出てないんですよね」

「すみません、すみません」駒井はぺこぺこしながら椅子に座った。「ええと、まだ結果は出てないんですよね」

「うん。そろそろだと思うが」神田がまたしても時計を見る。「六時を過ぎたところだ」

「じゃあ、まだ出ないんじゃないかな」広岡はいった。「いつも七時近くになるぞ。揉《も》めたりしたら、八時頃になる場合だってある」

「そうだったな。でもNHKのニュースには間に合わせるんじゃないか」

「いや、間に合わないこともあったよ」

「まあ、どうでもいいじゃないか」寒川が陽気な声を出した。「賞のことなんか考えず、食って飲んで、楽しもうじゃないか」

そうですね、と編集者たちはいった。そして箸《はし》を動かした。

(今はどんなやりとりがなされているんだろう)寒川は何かを口に入れながら思った。何を食べているのか、全くわからなかった。ビールの味もわからない。(揉めているとしたら、選考委員の意見が二つに分かれているのかもしれない。すると二作受賞の可能性もあるわけか。そうなれば、俺に転がりこむこともあるんじゃないか。望月と俺、あるいは乃木坂と俺。そうなったって不思議じゃない。文学賞というのは、なかなか予想通りにはいかないものなんだ）寒川は心臓の鼓動が速くなるのを自覚していた。急に掌《てのひら》に汗が滲《にじ》んできた。（そうだ、俺が受賞したっておかしくない。選考委員なんて気紛《きまぐ》れだ。何をいいだすかわからない。もしそうなったら俺は晴れて受賞者か。明日の新聞には俺の名前が載るわけか）

「あのう、先生は自信のほうはいかがなんですか」駒井が訊いた。

「えっ、自信？」

「受賞される自信です。何パーセントぐらいおありなんですか」

「これはまた無意味な質問だね。僕にどれだけの自信があったって、何の足しにもならないだろう。だからそんなこと、考えたこともない。正直なところどっちでもいいんだよ。賞をもらうために小説を書いているわけじゃないからな」

「そのとおりです」神田が大きく頷いた。「先生の作品は、まず読者を楽しませることを最優先にして書かれていますよね。そのことは読者が一番よく知っています」

「うん、そういう意味のファンレターはよくもらうよ」

「へえ、じゃあ本当に今日の選考なんかは、あまり関心がないんですか」駒井が訊く。

「まあね。もちろん、くれるというのなら、喜んで受け取るけどね」そういってから寒川は大口を開けて笑った。

（どっちでもいいや）と駒井は思っていた。（この人が受賞しようが落ちようが、俺には全然関係ないもんな。賞金の一部をくれるわけでもない。パーティの二次会の手伝いとか、その他もろもろの面倒臭いことを手伝わされるだけのことだ。今夜だって、遅くまでどんちゃん騒ぎに付き合わされるだろう。うんざりだな。どっちかっていうと、落ちてくれたほうがいいや）

「僕はこの一週間、ずっと神棚に拝み続けています。是非ともとっていただきたいんです」駒井は拳《こぶし》を握りしめ、熱っぽくいった。

「神棚とは古風なことをいうね。若いくせに」寒川は笑った。

（欲しい）作家は内心念じていた。（何としてでも欲しい。受賞ということになれば、本の売れ行きも全然違ってくる。本屋にずらっと俺の本が並ぶぞ。寒川心五郎という名前が一躍メジャーになる。クレジットカードだって簡単に作れる。テレビからだってお呼びがかかるかもしれない。寒川心五郎と聞いて、「あらあ、ごめんなさい。聞いたことないわあ」と馬鹿笑いをされなくても済む。俺のことを売れない作家だと思っている親戚《しんせき》連中を見返してやることもできる。欲しい。もうこれで候補になるのは五回目だ。そろそろくれてもいい頃じゃないか。何が何でも欲しい。とらねばならん）

「ほかの連中は、きっとドキドキして待っているんだろうなあ」寒川は煙草を取り出し、ゆったりとした動作で口にくわえた。

　すかさず鶴橋がライターで火をつける。

「ほかの人……というと、望月先生とかですか」

「うん、あとは乃木坂さんね。彼女なんかも、今回は自分がとれると思っているだろうから」

「そうですか。でも乃木坂さんは、今回は寒川さんに来るんじゃないかとおっしゃってましたよ」

「そういうのは社交辞令だよ。君が僕の担当と知っているから、そういったんだろう」

（本当か？　本当に乃木坂がそんなことをいったのか。ということは、何らかの理由があるんじゃないのか。誰かから、俺が有利だという情報を得たんじゃないのか。おい、どうなんだ）作家は煙草を挟んだ指先が震えるのを止められなかった。

（まあ社交辞令に決まってるけどさ）鶴橋は心の中で舌を出していた。

「そんなことはないと思いますよ。乃木坂さん、寒川先生の作品を読んで感動したとおっしゃってましたから」

「ふうん。ま、お世辞だろうがね」寒川は煙草をせわしなく吹かした。

（乃木坂もなかなかかわいいところがあるじゃないか。いやしかし、それは自分の作品の

ほうが勝っていると思っているが故の余裕かもしれん。そうだ。そうに違いない。なんだ、あの生意気な小娘め）

（乃木坂さん、俺が来ていないことで怒ってないだろうな）鶴橋はそのことを気にしていた。（ちゃんと編集長は説明してくれたんだろうな。鶴橋は乃木坂先生と一緒に待ちたがったのですが、どうしても寒川さんのところへ行かねばならなくなりまして、と。でないと、乃木坂さんが受賞した時、駆けつけにくいじゃないか。ああ、くそ。早く決まんねえかなあ。どうせ乃木坂さんか望月さんだよ。こんなところにいたって、面白くも何ともないや）

ドアが開き、黒い服を着た店員が顔を覗《のぞ》かせた。

「神田様という方、いらっしゃいますか」

「あ、はい」神田が小さく手を上げた。

「お電話が入っております」

この一言で室内が一瞬静まりかえった。

神田が出ていった後も沈黙は続いていた。それを破ったのは作家だった。

「わははは」彼は大口を開けて笑った。「どうやら予想が当たったみたいだな。今回も残念賞だ。受賞なら、本人を呼び出すだろうからな」

「いや、そうともいいきれないと思うんですが」広岡はそういったきり、後が続かなかった。（そうなんだよな）と彼は考えていた。（俺が立ち会ったかぎりでは、電話で編集者の名前が呼ばれて受賞なんてことは一度もない。だめだなこりゃ）

「まあいいじゃないか」寒川は異様にはしゃいだ声を出した。「とにかく今日は飲もう。せっかく集まったんだから。鶴橋君、飲みなさい」

「あ、すみません」作家からビール瓶を差し出されて、鶴橋はあわててその下にグラスを持っていった。

（やっぱりだめか。すると受賞者は誰だろう。望月さんならあわてることもないが、乃木坂さんなら何とか駆けつけないと）鶴橋は上の空で注がれたビールを飲んだ。

「さあて、受賞したのは誰かねえ」寒川はいった。「望月君か乃木坂さんか。どうだい、ひとつ賭《か》けてみないか」頰《ほお》がひきつるのを防げない。顔面が奇妙な笑いを作ったまま硬直していた。

（くそ、くそ、くそ、また駄目なのか。なんで俺じゃないんだ。俺にくれたっていいじゃないか。俺はな、俺はな、三十年もこの世界で飯を食ってるんだぞ。昨日今日デビューした連中とは、書くものの深みが違うはずだ。それがどうして認めてもらえん？　選考委員

に理解してもらえんのだ）

「まあもし今回だめだとしてもですね、次があるじゃないですか」広岡がいった。「うちに書いていただく作品で狙《ねら》いましょう。次回は絶対大丈夫ですよ」

「いやあ、その、だからだね。そういう賞なんかは狙わないといってるじゃないか」

「まあ、そうおっしゃらず」

（落ちた理由が問題だな）広岡は揉み手をしながら考えていた。（五回も落ちたってことは、この寒川という作家の書くものが、根本的に今の選考委員に受け入れられないのかもしれない。だとすると、考え直したほうがいい。何度やっても同じことだ。望月と乃木坂のどちらが受賞したかだな。どちらが落ちたにせよ、この落ち目の作家よりは可能性が高いだろう。そっちに取り入ったほうが得策かもしれないぞ）

「ちょっと失礼」駒井が席を立った。トイレに行くためだったが、別の目的もあった。

（やれやれ、息が詰まる）部屋を出てから彼は大きく深呼吸した。（まるでお通夜だよ。表面上は寒川先生も強がっているが、しょげかえってるのが見え見えだ。こんな鬱陶しいところは早くおさらばしなきゃな。何か理由をつけて逃げてやろう。まあしかし、落ちてくれてほっとしたよ）

トイレのそばに電話機があった。そこに神田が立っていた。

（なぜなんだ、なぜなんだ、なぜなんだ）明るく振る舞わねばと思いつつ、作家は自問を繰り返していた。（なぜ俺が落ちねばならん。俺のあの作品がなぜ評価されんのだ）額から脂汗が流れ始めていた。

（わかったぞ。選考委員の連中が、俺の才能に嫉妬《しっと》したんだ。そうだ、そうに違いない。俺の名前と作品が世間に広く知れ渡れば、自分たちの読者がとられると危機感を抱《いだ》いたんだ。奴等は寒川心五郎を恐れたのだ。それしか考えられない。何という狭量な連中だ。卑劣な人間どもだ。奴等はこんなふうにして、自分たちの地位を守ってきたのだろう。くそくそくそ。何ということだ。何ということだ）頭が熱くなるのを彼は感じた。そのくせ手足は妙に冷たかった。

（受賞したのは誰なんだ。早く教えてくれ）鶴橋は落ち着かなかった。今すぐにも腰を上げたかった。（乃木坂さんじゃないのか。だとしたら、すぐに行かないと。祝福の言葉をかけに行かないと）

（このおっさんは、もう無理かもしれないな）広岡は作家の異様に赤い顔を見ながら思った。（振り返ってみれば、一回目に候補になった時の作品が一番よかった。その後、徐々にレベルが落ちてきている。今回候補になったのも、賞のスポンサーである灸英社から出

した本だからだろう。歳《とし》だし、あまり期待できないかもしれないな）

　ドアがばあんと開いた。駒井が飛び込んできた。

「先生、先生、せんせいっ」駒井は寒川にすがりつくような格好をした。

「なんだ、どうした」

「先生、おめでとうございます。おめでとうございます」

「えっ、おめでとうって……えっ、もしや」

「はい、受賞です。おめでとうございます」

「えーっ」寒川は目を剝《む》いた。

「たしかなのか」広岡が訊いた。

「はい。そこで神田さんが電話をしながらガッツポーズを」

　おおっ、と広岡と鶴橋が同時に吼《ほ》えた。

「先生、おめでとうございます」鶴橋が寒川の右手を摑《つか》んだ。

「とうとうやりましたね。信じていましたよ」広岡が寒川の左手を握った。

「受賞……私が」作家は立ち上がった。

（やったぞ。ついにやったぞ。夢ではない。この俺が受賞したのだ。苦節三十年。ついに、ついに、ついに、あの賞を、俺が、俺が、俺が、受賞を、受賞を、受賞を）

「あっ、先生」
「寒川先生っ」
「どうされました」
「しっかり」
「たいへんだっ」
「わっ、わわわわわ」
「脈が、脈が、脈が——」

(いやあ、しかしよかったなあ)電話を終えた神田は部屋に戻ることにした。(補欠合格とはラッキーだった。これで浪人を免れる。女房のヒステリーも少しはよくなるだろう。それにしても、よくここの電話番号がわかったな。ああそうか、出掛けにメモを置いてきたからな)

部屋の前で彼は立ち止まった。中から声がする。何かひどくあわてているようだが、何かあったのだろうか。

だがドアを開けようとする前に、彼は後ろから声をかけられた。「神田様ですね」

振り返ると黒服の店員が立っていた。

「そうですが」と神田はいった。

「お電話が入っております。新日本小説家協会様からです」

「あ、そう」

（いよいよだな）彼は踵《きびす》を返し、再び電話機に向かって歩きだした。

線香花火

1

　壁にかけられた時計の長針がぴくりと動き、午後七時三分を指した。それとほぼ同時に電話のベルが鳴りだした。それまで時計を睨《にら》んでいた熱海圭介《あたみけいすけ》の目が、グレーの電話機に向けられた。ごくりと唾《つば》を飲み込む。

　ついにかかってきた――。

　今度は例の電話に違いない。今日にかぎってマンションの売り込みだとか保険の勧誘といった無関係な電話がやたらとかかってくるが、今度こそは灸英社からの電話だ。運命の電話だ。

　熱海は立ち上がり、深呼吸をした。電話は鳴り続けている。正直いって、受話器を取るのが怖かった。これまで何度、「まことに残念ですが」という台詞《せりふ》を聞かされたことだろう。何度経験しても、あの言葉を聞いた瞬間の絶望感にだけは慣れられない。

　心臓がいつもの倍の心拍数を示していた。振幅も倍になっているようだ。頸動脈《けいどうみゃく》を流れる血のリズムが、鼓膜にまで届いている。

しかし受話器を取らないわけにはいかなかった。早く出ないと、留守だと思って相手が切ってしまうかもしれない。そんなことになったら、今以上に落ち着かない思いをしなければならない。

熱海は受話器を握り、ゆっくりと持ち上げた。瞼《まぶた》を閉じ、顔の横に持っていく。

「はい、熱海ですが……」出だしの声が裏返り、あとはかすれ声になった。唾を飲み込む余裕もなかった。

「もしもし」男性の声がした。「あの、灸英社の者ですが、熱海圭介さんでしょうか」

「はい、そうです」

やっぱりそうだった。どきどき。どきどきどき。

相手の男は一拍置き、そしていった。

「おめでとうございます。つい先程、小説灸英新人賞の選考会が終わりまして、熱海さんの『撃鉄のポエム』を受賞作とすることが決定いたしました」

「えっ」

頭に血が上った。次にはその血がコンマ一秒の間に全身を駆けめぐった。

「ほほほ、ほんとうですか」

「ええ、本当ですよ。おめでとうございます」

身体《からだ》が震えだした。じっとしていられなくなり、受話器を持ったまま歩き回った。空いているほうの手でぐっと拳《こぶし》をつくる。その掌《てのひら》に汗がにじむ。夢ではあるまいか。こんな夢を何度も見た。だがこれはたしかに現実だ。

俺《おれ》が受賞か、とうとう作家になれるのか――。

「それでですね、早速なんですが、来月号の『小説灸英』に受賞作を掲載することになっております」

「ええ、それはもう、全然問題ないです」

熱海はさらに舞い上がった。俺の小説が雑誌に載る、俺の書いたものが活字に――。

「その時、受賞の言葉というものも一緒に載せる予定なんです。ええと、二百字程度で書いていただけますか」

「書きます。はい。いくらでも書きます」

「では今週中ぐらいでお願いできますか。郵送でもファクスでも結構ですから」

「わかりました」

早速仕事だ。受賞した途端、ものを書く仕事を依頼された。

相手の編集者は小堺《こさかい》と名乗った。小堺は今後の予定を細かく説明した後、電話とファクスの番号を告げ、電話を切った。

熱海はしばらく呆然《ぼうぜん》としていた。夢にまでみた受賞。しかしその実感がなかなか湧《わ》いてこなかった。湧いてこないことがもどかしかった。

とりあえず——。

彼は再び受話器を取った。この喜びを伝えねばならない相手の数は、両手の指でも足りないくらいだった。

2

やれやれ。

電話を切り、小堺肇《はじめ》は煙草《たばこ》を吸った。煙と共にため息も吐き出す。半年に一度の仕事がとりあえず終わった。

「受賞者に電話したか」編集長の青田《あおた》が訊《き》いてきた。

「しました」

「ええと、何という名前だったかな」青田は小堺の机に置いてある書類を手にした。そこには小説灸英新人賞最終候補作の梗概《こうがい》と作家の略歴が記されている。「ああ、そうだ。熱海圭介だ。私立太平大学文学部卒、事務機器メーカー勤務……か。ふうん、面白くもおかしくもない経歴だな。年齢は三十三歳か。写真は？」

「ここにあります」

手渡された写真を見て、青田は顔をしかめた。

「何だ、こいつは。ぱっとしねえなあ。あんなハードボイルドを書いてるから、さぞかし悪そうな顔つきをしているんだろうと期待したのに、童顔で太めの銀行マンって感じじゃないか」

「銀行マンじゃなく、セールスマンだそうです」

「そうなのか。ふうん。しかしこれじゃあ、グラビアに使おうって気にもならんな。セールスマンのくせに、セールスポイントが全然ないじゃねえか」青田は写真を机の上に戻した。「受賞作、何といったっけ。撃鉄の……」

「『撃鉄のポエム』です」

「それだ。あの作品にしても、ぱっとしなかったもんなあ」

「そうですよね」小堺は同意した。本心でもあった。「かなりきつい作品でしたよね」

「文章がくさいんだよな」

「『ターキーサンドをバーボンのストレートで胃袋にぶち込んだ』なんていう表現もあり

ましたし」

「今どき、あんな類型のハードボイルドを書く人間がいたというのが驚きだよ。もっとも、その臆面《おくめん》のなさが選考委員にうけたのかもしれんが」青田は無精髭《ぶしょうひげ》の伸びた頰《ほお》を撫《な》でた。

「俺はあの若い女性にとらせたかったんだよな。何といったっけ、ええと」

「藤原奈々子《ふじわらななこ》さんでしょ。作品は『FLOWER　FLOWER』」

「そうそう、ナナちゃんだ。彼女がよかったんだよ。そこそこ美人だし、スタイルもよさそうだし」青田は小堺の机から勝手に一枚の写真をつまみあげた。無論、藤原奈々子の写真である。白黒で、胸から上しか写っていない。それでも青田にはスタイルがわかるらしい。

「でも彼女の作品は真っ先に落ちましたからねえ」

自己満足に溢《あふ》れた稚拙《ちせつ》な文章を、選考委員の大半が酷評した。小堺も、読んでみて辟易《へきえき》したのを覚えている。おまけにストーリーもよくわからなかった。

「ナナちゃんの写真を事前に見せておくべきだったな。そうすりゃあ男の選考委員の気持ちは変わったかもしれん」青田はまだ少し諦《あきら》めきれないという顔だったが、腕時計を見て表情を変えた。「おっ、いかん。そろそろ行かなきゃな」

編集長は上着を手にした。彼はこれから銀座に行って、選考委員たちの接待である。

「僕は赤尾《あかお》先生に連絡を入れることになっているんです」

「あっ、そうか。赤尾さんには、今度また食事に行きましょうといっといてくれ。例の連載の話も、それとなくしておくんだぞ。しょっちゅういっておかないと、あの先生、すぐに忘れるからな」

「ええ、わかっています」

編集長が去った後、小堺は大欠伸《おおあくび》をひとつした。煙草をさらにもう一本吸ってから、受話器を上げた。電話をする相手は、売れっこ作家赤尾膳太郎《ぜんたろう》だ。赤尾には短編小説を依頼してあるが、確認の電話をしておかないと失念されてしまうおそれがあった。

時計の針は八時近くを示している。いつもと変わらぬ夜だった。

3

「かんぱーい」

声と共にいくつかのグラスが空中で合わされた。その勢いで一つのグラスから泡がこぼれた。熱海圭介のグラスだった。彼は泡を受けるようにビールを飲んだ。一気に三分の二ほど飲み、グラスをテーブルに置いた。

仲間たちが拍手してくれた。

「ありがとう、みんな」熱海は頭を下げた。

「よかったよなあ、ほんとに」入社当時からの親友である光本《みつもと》がいった。「昔から小説家になりたいっていってたけど、とうとう願いが叶《かな》ったわけだ。俺もうれしいよ」

その頃《ころ》のことを熱海も思い出した。

「そういう話をすると大抵の連中は、作家になんかそう簡単になれるわけないって馬鹿にしたけど、光本だけは、きっとなれるっていってくれたもんなあ」

「気休めじゃなくて、本当にそう思ったんだよ。あの頃から熱海は、ふつうの奴《やつ》とは違う考え方をしたり、違うものの見方をしたりしてたもんな。こいつならきっと、と思ったわけだよ」光本は、皆に説明するような話し方をした。

「うん、わかるわかる。あたしも熱海さんと話をしている時に、はっとさせられることがあるもの。あたしたちとは視点が違うっていうのかな。で、きっと作家になるような人というのは、そういうものが生まれつき備わっているのよ」隣の職場の松原美代子《まつばらみよこ》が力説した。

ここは熱海たちが会社の帰りによく利用する居酒屋である。今夜は同期入社の仲間たちが、熱海のためにパーティを開いてくれたのだ。

「だけど熱海が作家になるとはなあ。何というか、ぴんとこないな」伊勢《いせ》という男がいった。「こういっちゃ何だけど、会社では全然目立たないのにな」

「だから、そこがすごいところだよ。能ある鷹《たか》は爪《つめ》を隠すっていうじゃないか」光本が反論する。「で、ここ一番ってところですごいことをする。凡人とは違うわけだ」

「そういうことなんだろうな。俺たちなんて、二、三枚の報告書を書くのだって四苦八苦してるってのに、熱海は小説を書いちゃうわけだからな。改めて尊敬するよ」伊勢は熱海のほうを向いてグラスを掲げた。

「その小説、どこかに載るんだろ?」光本が熱海に訊いてきた。

「うん、『小説灸英』という雑誌に掲載される」

熱海の答えに、周りで聞いていた者たちが感嘆の吐息をついた。

「すげえなあ」

「まさに作家なわけだ」

「そんな人間が、自分たちの身近から出るなんてなあ」

誰もが競うように熱海のグラスにビールを注《つ》いだ。

「これからはセンセイって呼ばれるわけね」松原美代子がうっとりとした目をした。

「やめてくれよ。センセイなんて柄じゃない」そういって熱海はビールを飲みながら、その響きを心の中で繰り返していた。センセイ……か——。

「会社のほうはどうするんだ」伊勢が尋ねてきた。この質問に、皆が話をやめて熱海に注目した。誰《だれ》もが気にしていることなのだろう。

「うん、まあ、そのことについてはいろいろと考えているところなんだけどさ」熱海は慎重に言葉を選んだ。「とりあえずは両立していきたいと思っている」

「二足のわらじってやつか」

「そうなるかな」

「かっこいいなあ」伊勢はうらやましそうな声をあげた。「リストラされるんじゃないかってびくびくしてる人間が多い中、二足のわらじだもんな。やっぱ、才能のあるやつは強いよ」

「でも忙しくなったら、それも結構難しいんじゃないか」光本が心配そうな顔をした。

「そうだな。今も二作目の仕事にかかっているんだけど、もっと自由な時間があればと思うよ。時間に追われて、作品の質を落とすようなことだけはしたくないからね。そんなのはプロの仕事ではないと思うし」

熱海の言葉に皆が憧《あこが》れの表情で頷《うなず》く。

「ねえ、いずれは直本賞《なおもと》とかも狙《ねら》うんでしょ」松原美代子が、日本で最もメジャーな文学賞の名を出した。

「まあ、そのうちにね」熱海は軽く受けた。「でも狙って書くようなことはしない。自分の書きたいものを書くだけだよ。そういう意味では、出版社も選ばなきゃいけないとは思っているんだ。カラーを押しつけるようなところとは付き合いたくない。まあ、灸英社とは、しばらくは付き合ってやるつもりだけどね。とりあえず二作目は、あそこに渡してやろうと思っているんだ」

「へええ、楽しみ」

「なあ熱海センセイ」伊勢がシステム手帳とボールペンを出してきた。「悪いけどさ、ここへちょっとサインしてくれねえか」

「えっ、サインかい？」

「うん。いいだろ？」

「そりゃ、いいけど」

「あっ、俺ももらっとこう」ほかの者も席を立って近寄ってきた。

「あーっ、あたしにもちょうだーい」

たちまちパーティはサイン会に変わった。

4

内線電話が鳴ったので出てみると受付からだった。アタミさまがお見えです、という。

「アタミさん？　誰だろう？」小堺は首を傾《かし》げた。「僕に会いに来たとおっしゃってるんですか」

「はい。『小説灸英』の小堺さんに……と」

小堺は手帳を取り出し、今日の日付の頁《ページ》を開いた。乱雑に予定が書き込まれている。その中に、『アタミさん（新人しょう）16時頃』という汚い文字があった。

ああ、新人賞の熱海さんか——。

思い出した。ゲラの著者校正を頼んであったのだ。ファクスで送ってくれれば済むことなのだが、熱海は灸英社まで持っていくといった。

すぐに行きますと受付にいい、小堺は席を立った。編集長の青田のところへ行く。

「熱海さんが来られましたけど、お会いになりますか」小堺は訊いた。

青田の一本眉《いっぽんまゆ》が曲がった。「アタミ？　誰だ、それ」

「新人賞の受賞者です」

「ああ」青田は途端に興味をなくした顔になった。「いいや、俺は」

「そうですか」

「ところで赤尾さんのほう、どうなってる」

「まだです。先程電話をかけたんですけど、留守電になってました」

「参ったなあ」青田は頭を掻《か》いた。「なんとか今夜中に捕まえろよ」

わかってます、といって小堺は編集長の机から離れた。

現在小堺の頭は、赤尾膳太郎の原稿のことで占められていた。心配したとおり、約束の期日を過ぎても原稿は一枚も送られてこない。超多忙作家の短編が予定通りに入ることなどはなから期待していないが、それにしても切迫しすぎていた。今日中に少なくとも半分近くは入れてもらわないと、後がかなり厳しくなる。

小堺がロビーに行くと、スーツを着た小太りの男が待っていた。写真では見ているが、実際に会うのは初めてである。簡単に挨拶《あいさつ》を済ませた後、向き合って座った。

「早速ですが、ゲラは持ってきていただけましたか」

「はい。これです」熱海は大事そうに抱えた鞄《かばん》の中からコピー用紙の束を取り出した。

小堺はその場でぱらぱらと目を通した。新人賞受賞作は、出来るだけ応募時のまま掲載することになっている。ゲラで直すのは、単純な誤字脱字程度だ。

「結構です。わざわざありがとうございました」小堺は腰を浮かしかけた。

「あのう」熱海が口を開いた。「挿し絵のほうはどうなってますか」

「挿し絵、ですか。どう、といいますと？」

「どなたの絵ですか」

「はあ、それは……」小堺は手帳を開いた。「丸金大吉《まるかねだいきち》という絵描きさんです」

すると熱海の顔が不満そうに歪《ゆが》んだ。

「あの人の絵ですか。ちょっとイメージじゃないなあ。シャープさが足りないんですよね。僕は影山寅次《かげやまとらつぐ》さんの絵がぴったりだと思うんですけど」

「はあ、そうですか」

「なんとか影山さんの絵にしていただけませんか」熱海は平然といった。

小堺は驚き、相手の顔をしげしげと眺めた。冗談をいっているわけではなさそうだ。

「いやあ、それはちょっと……」

「だめなんですか」

「もう丸金さんの絵があがってきてますからねえ」

「そうなんですか」熱海は下唇を突き出した。「一言相談してほしかったな」

「どうもすみません」

ではこれで、と小堺が今度こそ席を立とうとするのを、「あっ、それから」と熱海がまた引き留めた。「これを持ってきました」鞄の中から大きな茶封筒を取り出した。

「何ですか」

「受賞第一作です」

「えっ」

「だから新作です」

「もう書いてきたんですか」

「以前に書いたものを手直ししたんです。『撃鉄のポエム』の主人公が、今度は香港《ホンコン》を舞台に戦う話です」

「ははあ」小堺は茶封筒の中を覗《のぞ》いた。ワープロでびっしりと印刷された紙が、最低百枚は入っていた。原稿用紙に換算すれば三百枚は下らないだろう。「結構多いですね」

「もし一挙掲載が無理ということであれば、連載ということでも構いませんよ」熱海は椅《い》子《す》にもたれ、足を組んだ。

「わかりました。では編集部に持ち帰って、検討してみます」

「よろしく。あっ、ただし今度は影山寅次さんの挿し絵でお願いしますよ」

「はあ、その時には考えてみます」

小堺が席に戻ると、同僚から声をかけられた。「小堺、赤尾さんから電話」「あっ、はいはい」彼は電話機に飛びついた。熱海から受け取ったゲラのほうは机の上に置き、茶封筒のほうは足元の段ボール箱に放り込んだ。その箱の横にはマジックで、『持ち込み原稿その他（掲載予定なし）』と書かれている。

5

書店に置かれた『小説灸英』10月号の表紙に、『小説灸英新人賞発表』とあるのを見て、熱海は一瞬目眩《めまい》を覚えた。無論、喜びからの目眩である。

ああ、とうとう、と思った。とうとう俺は手に入れたのだ。ジャパニーズドリームを。

震える手で『小説灸英』を取る。目次を見ようとするが、指がうまく動かない。

ようやく目次を開いた。さっと全体を見渡す。あった――。

『小説灸英新人賞発表　受賞作「撃鉄のポエム」熱海圭介』

その文字を何度も見つめた。思わず笑いだしそうになる。それをこらえ、彼はそこにあった『小説灸英』をすべて抱えた。

書店の女子店員は、同じ小説誌を五冊も買う客に怪訝《けげん》そうな目を向けてきた。

「いやあじつはねえ」熱海は口と一緒に目次も開いていた。「この新人賞受賞者というのが僕なんだよ。ほら、ここにある写真を見ればわかるだろ」

女子店員は写真と彼の顔を見比べ、小さく頷いた。「あっ、ほんとう」

「ねっ、間違いないだろ」

「すごいですね。新人賞だなんて」

「いやあ、それほどでもないんだけどね」

会話が聞こえたのか、近くにいた客たちが熱海のことをちらちら見始めた。さすがに照れ臭い。しかしそれは快感だった。

この夜、彼の実家で、親戚《しんせき》一同による祝賀会が開かれた。膳《ぜん》がコの字形に並べられ、上座に熱海が座った。彼を挟むように年老いた両親が座る。息子が小説を書いていることにこれまで難色を示していた二人も、さすがに嬉《うれ》しそうだった。

「いやあ、まさかうちの倅《せがれ》が作家になるとは思いもしなかった。人間、長生きしていると、たまにはいいこともあるもんだなあ」少しの酒で酔っ払った父親は、呂律《ろれつ》の怪しい口調でいった。その顔は酔いと興奮で真っ赤である。

「圭介のことだけが心配だといっとったが、これでもう何も心配することはなくなったなあ。作家センセイとは大したもんだ」叔父《おじ》もいい顔色をしていった。

熱海は発売されたばかりの『小説灸英』を取り出した。新人賞発表の頁を、皆が次々に回して眺めていく。

「すっげえなあ。こんな有名な作家が選考委員で、それで受賞したんだから、こりゃあハクがつくわ」叔父がため息まじりにいった。

「圭介さん、これ、本にはならないの？」伯母《おば》が訊いてきた。「ほら、単行本とか文庫本とか、いろいろあるでしょ」

「ああ」熱海は伯母に頷きかけた。「それは短編小説だから、それだけでは本にはできないね。でも二作目を書きあげたから、それと合わせて一冊の本になると思う」

「へえ、そうなの」

「その二作目は、またこの雑誌に載るのか」父が訊いてきた。

「うん。でもちょっと長いからな、もしかしたら連載になるかもしれない。考えておくと編集部じゃいってる」

「そんなにすぐ次の作品を書いてもらって、出版社の連中は喜んどるだろ」

「たぶんね。デビューしたのはいいけど、後が続かない作家が多いというからな」

「おまえは昔から、面白い話を考えだすのがうまかったからなあ」父は好々爺《こうこうや》の顔になっていた。

「こういう賞をとった小説というのは、本にして出せば売れるんだろ」従兄《いとこ》が少し声をひそめていった。「どれぐらい売れるんだい？」

「さあねえ」熱海は、そんなことにはあまり関心がないという顔を作り、猪口《ちょこ》の酒を飲み干した。「詳しくは知らないな。推理小説の井戸川団歩《いどがわだんぽ》賞なんかだと、十万部くらいは売れると聞いたことがあるけど」

「十万部か。あれはたしか印税といって、大抵は価格の十パーセントが作家の取り分らしいな。すると二千円の本を出した場合、ええと……」腕組みをして考え込んでいた従兄は、目と口を大きく開いた。「二千万円か。二千万円も入ってくるのか」

おお、と座敷中がどよめいた。

「なんだそりゃあ。一躍、大金持ちじゃねえか」叔父が頓狂《とんきょう》な声を出した。「よかったなあ、兄貴。これでもう楽ができるぞ」

「いやいや、そううまくいきゃあいいが」いいながら父は目を細めている。

母のほうは隣で目頭を押さえていた。うれし泣きしているのだ。

「ほんとにもう、こんなにいいことがあるなんて。苦労してこの子を育ててきた甲斐《かい》があったよ」

彼女の涙につられたのか、伯母たちもハンカチを取り出した。

「もう大丈夫だよ、お袋」熱海は母にいった。「これからは俺が面倒みてやる。何も心配することないからな」

彼の言葉は、一層皆の涙を誘った。

十時を過ぎて、宴会はお開きとなった。叔父がぐでんぐでんに酔っ払ってしまったため、熱海が家まで送り届けることになった。叔父の家は熱海の実家から二百メートルほどのところにある。彼の娘の里美《さとみ》が一緒だが、女性一人では支えきれないほど叔父は正体をなくしてしまっていた。

「圭介さん、ごめんね」歩きながら里美は謝った。

「いいよ。それより里美ちゃんも大変だな」叔父の身体を支えながら熱海はいった。

「ううん。あたしは慣れてるから平気」

彼女は熱海より五歳下だった。母親が早くに亡くなったため、父親と二人暮らしをしている。結婚が遅れているのも、父親のことが気になるせいらしかった。

「それにしても圭介さん、すごいね。作家になっちゃうんだ」

「まあなんとかね」

「もうすっかりスターだもんね。きっと、まだまだ偉くなっていくんでしょうね。どんどん有名になって、テレビとかにも出るようになって、あたしたちの手の届かない存在になっちゃうかもしれない」

「そんなことはないさ」熱海は強い口調でいった。「俺は俺だよ。作家になったって、どんなに有名になったって、みんなのことを忘れたりしないさ」

「そう？　あたし、何だか圭介さんが変わってしまうようで怖いの」

「俺は変わらない。約束するよ」

「本当？」

「本当さ」

熱海は足を止めた。里美も立ち止まっていた。二人は見つめあった。

その時、叔父が目を覚ました。「うん？　何だ、ここは？　酒はもうねえのか」

「おとうさんったら」

「叔父さん、今夜はもうお開きだよ」熱海は再び叔父を支えて歩きだした。里美が彼を見て、にっこり笑った。

6

「熱海君、ちょっと」先程からずっと仏頂面をして何かの書類を見ていた課長が、決心したように呼びかけてきた。

自分の席で小説の構想を練っていた熱海は、「はい」と無愛想に返事をして、課長の机の前に立った。「何ですか」

「君ねえ、このところ成績が悪いよ。会社でぼんやりしてないで、外回りをしてきたらどうなんだ」

「今日はまとめなきゃならない報告書があるんです」

「報告書？　そんなことをしているように見えないがねえ」

「考えをまとめていたところです」

「考えるだけなら、得意先を回りながらでもできるだろう。効率的に動いてくれんかね、効率的に。君がぼんやりしている時間にだって、会社は給料を払っているんだぞ。——何だね、その目は。何か文句でもあるのか」課長は金縁眼鏡《きんぶちめがね》の奥から熱海を見上げた。

いいえ、と熱海は一回首を振る。ここでこんな男に何かいったところで意味はないと思い直したのだ。

「わかったら早く行きたまえ。こうしている間にも、得意先の一つぐらいは回れる」蠅《はえ》を払うようなしぐさを課長はした。

同僚たちが様子を窺《うかが》うように見る中、熱海は営業所を出た。いつもの営業用ライトバンに乗り込む。エンジンをかけ、荒っぽく発進させた。

なぜこの俺が、と彼は思った。あんな男に指図されなきゃならんのか。あんなふうに罵《ば》倒《とう》されねばならないのか。この俺が。新人賞まで受賞しているプロ作家の俺が。

嫉妬《しっと》しているのだ、と彼は結論づけた。今まで馬鹿にしてきた部下が、突然自分の思いも及ばぬ高い地位を獲得してしまったため、焦っているのだ。混乱しているのだ。どうしていいかわからんのだ。そうだ、そうに違いない。あの男こそ無能なのだ。

道路はいつにも増して渋滞していた。熱海は舌打ちをし、何気なく横を見た。そこに小さな書店があった。若い女性が文芸書の棚の前に立っている。

彼は自分の本がそこに並ぶ様子を想像した。その本を皆が手にとるところを頭に描いた。それはぞくぞくするような映像だった。今まで何度こんなふうに夢想したことか。しかしもう夢ではない。それはすぐ手の届くところにある。

本が売れたら、二千万、三千万の金が入ってくる――。

現在の自分の給料を思い浮かべた。あんな馬鹿上司に怒鳴られ、得意先に頭を下げて、あの程度の金しかもらえない。それならば創作に専念したほうがいいのではないか。

それはこのところずっと考えていることだった。その魅力的な思いつきを、彼は捨てられなかった。

得意先の会社に着いた。熱海が事務所に入っていくと、社長が血相を変えて立ち上がった。

「おい、あんたっ。だめだよ、あの機械。また壊れちまった。一体どうなってるんだ」

「えっ、あっ、そうなんですか」

「そうなんですかじゃないだろう。最新型だっていうから入れたのに、肝心な時に壊れられちゃ仕事にならない。今、おたくの会社に問い合わせてみたら、よそからもクレームが来てる品物だっていうじゃないか」社長は頭まで真っ赤にし、唾を飛ばした。

俺のせいかよ、といいたいのを我慢して、「はあ、すみません」と謝った。

「あんたに勧められて買ったんだからな、あんたが何とかしてくれ。今日中にだ」

わかりましたと答え、熱海は会社に連絡した。ところがサービスの人間は全員出払っていて、今日修理に向かうのは無理だという。

そのことをいうと、社長はますます怒りだした。

「うちは後回しだっていうのか。舐《な》めてんのか。大体あんたがボンクラだから、こういうことになるんだ。何とかしろ」

「ボンクラって……」

「ボンクラだからボンクラだといってるんだ。あんたが担当になってから、ろくなことがない。聞くところによるとあんた、営業所でも成績が最低らしいじゃないか。そんなふうだからだめなんだ」

「……とにかく、もう一度サービスのほうに掛け合ってみます」

「おう、そうしろ。何とかなるまで帰さんからな」

会社に電話をかけながら、熱海は社長の台詞をリピートしていた。ボンクラだと？　この俺が？　小説炎英新人賞受賞作家の俺が？

会社のサービス部に繋《つな》がった。熱海は再度交渉してみたが、事情は変わらなかった。電話に出た担当者も、忙しさからか、ぞんざいな口調になっていた。

「客をなだめるのがおたくらの仕事だろうが。それぐらいそっちで何とかしろよ。客のいいなりになるだけなら、ただの木偶《でく》の坊にだってできるぜ」

木偶の坊？——熱海がいい返そうとした時には電話は切れていた。

「おい、どうなんだ」後ろから社長が訊いてきた。「何とかなるんだろうな」

「それがですね……」

「だめなのか」

「はあ」

「ばかやろう」社長はそばの机を蹴《け》っ飛ばした。その拍子に、載っていた灰皿が熱海の足の上に落ちた。涙が出るほど痛かった。

それでも社長は罵倒の言葉を吐き続ける。能なし、役立たず、半人前。熱海の心に小さな穴があいた。それはたちまち大きく広がった。そして何か熱いものが流れ込んできた。

「大体おまえのような人間に営業をやらせているのが間違いだ。いや、雇っていること自体おかしい。おまえなんかはなあ、おまえなんかは……おい、どこへ行く？」

社長の怒鳴り声を無視し、熱海は得意先の事務所を出た。再びライトバンに乗った。数分して携帯電話が鳴りだした。課長からだった。

「おい、お得意さんをほったらかして、どこにいるんだ」怒りが声に込められていた。

「車の中です」と熱海は答えた。

「車の中だと？　おい、一体どういうつもりだ」

「別に」

「何だと……」部下の意外な反応に課長は絶句したようだ。

「それより課長、お話があります」熱海は淡々といった。「重要なお話です」

7

小堺たち『小説灸英』の編集者たちは頭を抱えていた。来月号の誌面を埋めるのに、どうしても原稿が足りないのだ。ある有名作家が間際になって逃げたからだった。

「参ったなあ。二十、三十ならともかく、百枚近く足りないもんなあ」青田が唸《うな》り声をあげた。「おい、小堺。おまえ、原稿持ってないか。持ち込みとか、新人のとかがあるんじゃないのか」

「はあ、そりゃああありますけど」小堺は足元の段ボール箱を覗き込んだ。

「おっ、これはどうなんだ。結構分厚いじゃないか。百枚以上あるんだったら、二回か三回に分けりゃいいだろ。『狼《おおかみ》の一人旅』か。ひどいタイトルだな。誰の作品だ」

「熱海さんのですよ。熱海圭介さん」

「アタミ？　誰だっけ？」

新人賞の受賞者だといわれ、青田は頷いた。

「あのさえない男の小説か。ふうん、もう二作目を書いたのか。で、どうなんだ」

「だめですね」小堺はあっさりいった。「ストーリーは平凡だし、登場人物にも個性が全くありません。文章は相変わらずクサいです。はっきりいってど素人《しろうと》の小説です」

「ふん、やっぱりそうか。あの男はだめだと思ったんだ。だいたい作家的センスがない」

そういいながら青田は原稿を小堺に返す。

小堺はそれをそのままそばのゴミ箱に捨てた。「出版部のほうでも、彼の受賞作を本にする気はないようですしね」

その時電話が鳴った。一番近くにいた青田が受話器を取った。「はい、『小説灸英』です」

相手が名乗ったらしいが、青田は怪訝そうな顔をした。

「アタミさん？　ええと、どちらのアタミさんですか」

小堺はゴミ箱を指差した。青田は大きく口を開けて頷いた。

「ああ、ああ。あの熱海さんね。はいはい、その節はどうも。私、編集長の青田です。いかがですか、その後……」そこまでは笑っていた青田だったが、次の瞬間、その表情が凍りついた。「えっ、何ですって」大声を出した。

部員全員が彼に注目した。

「それはまずい。熱海さん、それは考え直したほうが……えっ、もう出しちゃった？　辞表を？　そんな……いや、それはちょっと……」

青田はみるみる青ざめていった。
部員たちは何が起こったかを察知し、こそこそとその場を離れ始めた。

過去の人

1

受け取った封書を開け、熱海圭介は握り拳《こぶし》を固めた。中には一枚の招待状が入っていた。炙英社文学三賞授賞式のものだった。

「おお、ついに」思わず声が出た。

熱海はパソコンの前で胡坐《あぐら》をかき、そこに印刷されている文字をじっくりと読み直した。間違いない。招待状だ。ホテルの地図までついている。しかも高級ホテルだ。そして会費は不要らしい。つまり高級ホテルの料理がただで食べられるということだ。

炙英社文学三賞というのは、出版社の炙英社が主催している文学賞三つの総称で、既存作家の作品が選ばれる虎馬《とらうま》文学賞、一般公募作品の中から選ばれる炙英新人賞、文学界での功績を認められた人物が受賞する炙英功労賞から成っている。

このうち炙英新人賞は、今年から加わったもので、昨年までは小説炙英新人賞と呼ばれていた。文芸誌の『小説炙英』が募集しているもので、エンタテインメント作家を目指す者の登竜門となっている。

熱海圭介は、小説灸英新人賞の昨年の受賞者だった。受賞作は『撃鉄のポエム』というハードボイルド小説だ。受賞を機に彼は会社を辞め、今では専業作家となっている。ただし、この一年の間に出した単行本は、まだ『撃鉄のポエム』一冊だけである。月刊誌などに短編小説を書いたりして日銭を稼いでいるが、生活は決して楽ではない。早く二冊目を出したいと思い、灸英社の担当編集者に長編原稿を渡してあるが、まだ何の連絡もない。

一体どうなっているんだろうと苛々《いらいら》している頃《ころ》、この招待状が舞い込んだのである。

俺《おれ》にもこういうものが届くようになったか――それが熱海の正直な思いだった。

文壇パーティというものがあることは知っていた。この賞にかぎらず、文学賞のいくつかでは、授賞式を兼ねたパーティが開かれる。しかしこれまで熱海は、その種のパーティに招かれたことがなかった。昨年までの小説灸英新人賞については、授賞式というものは開かれなかったからだ。灸英社に招かれて、選考委員と一緒に中華料理を食べただけだ。

また作家たちで構成される組織でも、懇親会のようなものが行われるらしいが、熱海はそれらの組織のどこにも、まだ入っていなかった。どうすれば入れるのか知らなかったし、入らないかという誘いもない。

いつかは文壇パーティなるものに出てみたい、と彼はずっと思っていた。そこはどんなに華やかな世界なのだろうと想像を膨らませてきた。

そんな憧《あこが》れの場に、ついに出られるのだ。招待されたのだ。熱海は、自分がようやく一人前の作家として認められたように感じた。

招待状を改めて読み直す。灸英社文学三賞授賞式——何という重々しい響きだろう。スーツを新調したほうがいいかもしれないと思った。床屋にも行っておかねば。

それにしても、と熱海は受賞作を見つめて思う。こいつはツイてやがるな。一年違いで、こんなに立派なパーティを開いてもらえるとは。

彼が妬《ねた》ましく思うのは、灸英新人賞の受賞者に対してだ。一年遅く受賞したというだけで、中華料理店での会食から、えらく扱いが違っている。

受賞者の名前は、唐傘《からかさ》ザンゲといった。ふざけたペンネームだ。男か女かもわからない。しかも受賞作のタイトルは、『虚無僧探偵《こむそうたんてい》ゾフィー』というらしい。どんな内容か、全く見当がつかない。

パーティまでに、どんな作品か確かめておこうと熱海は思った。どうせ素人《しろうと》の書いたものだ。欠点だらけだろう。会場で会った時には、アドバイスの一つぐらいはしてやろうと考えていた。

2

『小説灸英』編集部の小堺肇はあわてていた。あと三十分で授賞式が始まるというのに、新人賞の受賞者がまだ到着しないからだ。

ホテルのロビーでやきもきしながら待っていると、「小堺さんっ」と突然声をかけられた。声はラウンジのほうからする。

声のほうを見ると、ライトブルーのスーツにピンクのシャツ、赤いネクタイという格好の男が手を振っていた。小堺を見て、にこにこしている。

誰《だれ》だろう、と思った。見覚えはある。しかしどこの誰だか思い出せない。

大事な人物かもしれない、と思った。忘れていたでは済まされないかもしれない。小堺は愛想笑いをしながら近づいていった。

「どうも、あの……御無沙汰《ごぶさた》しております」とりあえず挨拶《あいさつ》した。そして懐から名刺を出した。相手にも名刺を出させようという作戦だった。

相手は彼の名刺を見て笑った。

「なんだ、部署は替わってないじゃない。だったらこの名刺、持ってますよ」

しまった。以前、名刺交換は済ませているのか。

すると相手がスーツのポケットから名刺入れを出してきた。

「じつは僕も名刺を作ったんです。小堺さんに記念すべき一枚目を差し上げましょう」

「あ、どうもありがとうございます」

ラッキーと思いながら名刺を受け取った。そこには、『作家　熱海圭介』と印刷されていた。それでようやく思い出した。新人作家の一人だ。短編を二本ほど書かせたことがある。どちらもぱっとしない小説だった。

面倒臭い相手に会っちまったなあと小堺は胸の内で舌打ちした。

「今日はどうしてこちらに？　打ち合わせか何かですか」

熱海は怪訝《けげん》そうに眉《まゆ》をひそめた。

「おたくのパーティに呼ばれたんですよ」

「あっ、そうなんですか」

この程度の新人にまで招待状を送っているのかと小堺は思った。パーティの予算がオーバーするはずだ。

「ちょっと早く来すぎちゃったんですよ。それでコーヒーを飲んでるんだけど、一緒にいかがですか」熱海がいった。

小堺は残念そうな顔を作った。

「いや、あの私はちょっと会場の準備がありまして」

「あ、そうなの」

「すみません。では後ほど」そそくさと小堺は熱海の前から離れた。

やばいところだった、と思った。のんびりコーヒーなど飲んでいる余裕はない。仮にあったとしても、熱海の付き合いをする気はなかった。コーヒー代を払わされるのがオチだし、彼に原稿を依頼する予定もなかった。

先程受け取った名刺を見た。作家、という肩書きの入っている名刺を見るのは初めてだった。何気なく裏を見て、小堺は目を剝《む》いた。次のように印刷されていた。

第七回小説灸英新人賞受賞（現・灸英新人賞［灸英社文学三賞のひとつ］）

受賞作『撃鉄のポエム』（灸英社刊）

ああそれで、と合点した。熱海が招待されていた理由がわかった。小堺は、熱海が前年の受賞者だということをすっかり失念していたのだ。

3

予定よりも十分ほど遅れて授賞式が始まった。まず虎馬文学賞からだ。選考委員による経過報告、それから受賞者の挨拶と続く。その後が灸英新人賞だ。まずは選考委員の一人が壇上に立った。本格ミステリを主に書いている売れっ子の男性作家だった。

「えー、受賞作『虚無僧探偵ゾフィー』は、じつに問題の多い作品で、我々選考委員としても、大変刺激を受けました。しかし選考会は全くもめることなく、最初から満場一致でした。素晴らしい才能の登場を喜びたいと思います。内容については、何ひとつ触れられない問題作ですので、どうか皆さん、御自分の目でその特異な世界をお楽しみください」

そして受賞者の挨拶だ。唐傘ザンゲという人物が壇上に現れた。グレーのスーツを着た、白い顔をした痩《や》せた青年だった。奇妙な名前から、どんな変人が出てくるのかと身構えていた熱海は、そのあまりの平凡さに拍子抜けした。

挨拶もごくふつうのものだった。このたびはありがとうございます、自分のようなものがこのような賞をいただいていいのかと戸惑っております——型どおりといっていいほどの言葉の羅列《られつ》だ。

入り口で受け取った水割りのグラスを手に、大したことないな、と熱海は考えていた。強烈な個性を持った新人なら、今後自分のライバルになるかもしれないと警戒していたのだが、あんな凡庸な男では、大した作品は書けないだろうとたかをくった。

受賞作にしても、ひどい作品だったもんな、と思った。熱海は『小説灸英』に掲載されているのを読んだのだが、まるで評価できなかったのだ。というより、意味が殆《ほとん》どわからなかった。ミステリなのかどうかも不明で、結末も理解不能だ。

したがって受賞したこと自体が不思議なのだが、先程の選考経過を聞いて、若干事情が呑《の》み込めたような気がした。要するに作品の不条理さが選考委員にウケたわけだ。ストーリーやテーマ、文章力といったものは、今回にかぎっては二の次にされたのだ。

一発屋だな、と熱海は判断を下した。最初は面白がられるかもしれないが、不条理だけで作家を続けていけるわけがない。いずれ消えるだろうと熱海は予想し、安堵《あんど》した。重厚で緻密《ちみつ》、さらにはスケールの大きいハードボイルドを書くような受賞者でなくてよかったと胸を撫《な》で下ろした。

授賞式の後はそのまま立食形式のパーティとなった。並べられた料理に早速群がる者がいる。知り合いを探して歩き回る者がいる。有名作家の周りには、すでに編集者たちの輪が出来ていた。

熱海は周囲を見回した。炎英社以外の出版関係者も大勢来ているはずだった。知り合いは殆どいないが、向こうが自分のことを知っている可能性はある、と彼は考えていた。月刊誌の目次ページなどで、何度か顔写真を掲載してもらったことがあるからだ。

彼は上着の上から、内ポケットに入れてある名刺の感触を確かめた。今日のために作った名刺だ。これを出せば、今日これから会う誰もが、なぜ熱海がここに呼ばれているかを理解するはずだった。さらには羨望《せんぼう》と尊敬の眼差《まなざ》しを向けてくるはずだと彼は予想していた。もしかしたらサインを求められるかもしれない。一緒に写真を撮ってくれという者もいるかもしれない。出版関係者なら、これを機に執筆依頼してくるかもしれない。

自分は目立っているはずだという自信はあった。そのことを優先して服を選んだのだ。文壇パーティとなれば、個性豊かな作家たちが集まる。その中で目立つには、服装も個性的にしなければと彼は考えていた。会場に入る前には、さらにサングラスをかけた。そのほうがハードボイルド作家らしく見えるという計算だった。

ここに熱海圭介がいるぞ、と彼は周囲に発表したい気分だった。昨年の受賞者がいるぞ。今年の受賞者なんかよりも個性的で、すでに単行本を一冊出しているプロ作家がいるぞ。みんな気づかないのか。熱海圭介だぞ。『撃鉄のポエム』の作者なんだぞ——。

きょろきょろとあたりを見回していた彼の動きが止まった。彼の目が捉《とら》えたのは、例によって小堺の姿である。いや正確にいうと、その隣にいる青年だった。今年の受賞者である唐傘ザンゲという人物だ。

熱海はそちらに向かって大股《おおまた》で歩きだした。

4

わっ、めんどくせえ、と小堺はげんなりした。熱海圭介が近づいてくることに気づいたからだ。しかし無視するわけにはいかない。とにかく彼は前年の受賞者なのだ。

唐傘ザンゲはぼんやりと立っている。晴れがましい舞台の主役だが、この若者には覇気というものがまるでない。一体どうしてあのような傑作が書けたのかと不思議になってしまうほどだ。

先程から編集長の青田が、親しい作家に唐傘を紹介して回っている。今も売れっ子作家に紹介し終えたところだ。さて次は誰のところへ行こうかと立ち止まっていたところを、熱海に見つかったというわけだ。

熱海がにこにこしながらそばに来た。

「やあ、さっきはどうも」まずは小堺に振ってくる。

「失礼しました」小堺は頭を下げてから、怪訝そうな顔の青田の耳元で囁《ささや》いた。「去年の受賞者の熱海さんです」

「ああ、これはどうも」編集長が急いで作り笑いをした。「お忙しいところ、ありがとうございます。えーと、じゃあ、熱海先生にも御紹介しておきます。彼が今回の受賞者の唐傘さんです。唐傘ザンゲさんです」唐傘のほうを向く。「ええと、こちらは昨年の小説灸英新人賞の受賞者である熱海……」

「熱海圭介さんです」小堺があわててフォローした。

「どうも」唐傘は、相変わらずの無表情で会釈した。

「受賞作、読ませてもらったよ」熱海はいった。「なかなかよく書けている」

「ありがとうございます」

「ああいう世界を書く人が出てくるとは思わなかったなあ。不条理小説というのかな。あの世界観は意外だった」

「はあ……」

「まあ文章のほうはね、これから徐々にうまくなっていくと思うよ。だからそんなに心配しなくていいんじゃないかな。問題は、あの世界観がいつまでも通用するかどうかだね。やっぱりミステリというのは、整合性というか、合理性も要求されるわけだし。それから人物を描くことも大事だと思うよ」

唐傘は黙ったまま小堺を見た。熱海の言葉の意味が理解できないのだろう。

そりゃそうだ、と小堺は思った。受賞作は、一見でたらめに思える物語が、最後の最後で完璧《かんぺき》な合理性を表すという構造になっている。その論理の見事さ、さらにはそれを支える文章力が、今回の受賞に繋《つな》がったのだ。唐傘にしてみれば、この先輩作家は何をいってるんだ、という思いだろう。

唐傘の様子に気づかず、熱海は的はずれなことをしゃべりまくっている。小堺は割って入った。

「いやあ、やっぱり先輩作家の話は参考になります。ええと、熱海さん、唐傘さんは新人なので、これからもいろいろとアドバイスしてあげてください」

「うん、気づいたことがあれば教えてあげるよ」

「本当にどうも、ありがとうございました」小堺は唐傘の背中を押し、熱海から遠ざけた。

「いや、参ったなあ」編集長の青田が苦笑した。「あんなおかしなことをしゃべりだすとは思わなかった。熱海圭介……か。どんな作品で受賞したんだっけ」

「撃鉄の……ええと」小堺はさっきもらった名刺の裏を見た。「『撃鉄のポエム』です」

「そういやあ、そのタイトルはかすかに覚えがある。どんな内容だった?」

「えーと、ははは、どんな話だっけ。ハードボイルドだったような気がするんですが」

「ふうん、まあいいや。どうせ過去の人だ」

5

八時を少し過ぎていた。すでにパーティの終了が告げられている。会場からは次々と人の姿が消えていった。作家の中には編集者を連れて、六本木や銀座に繰り出す者もいる。受賞者の二次会に向かおうとする者も少なくないようだ。

熱海圭介は出入り口の近くに立ち、誰かに声をかけられるのを待ち続けていた。あるいは、数少ない知り合いが通りかかるのを待っていた。

だが彼には誰一人として見向きもしなかった。まるでそこには誰も存在しないかのごとく、一瞥《いちべつ》さえもせずに通り過ぎていく。

どういうことだ、と熱海は思った。たしかにこれほど立派な授賞式は開いてもらえなかったが、自分だって受賞者なのだ。その受賞の言葉だって書いた。それは『小説灸英』に掲載された。その時にはグラビアにだって出た。

単行本は出したし、短編だって発表した。それなのになぜだ。なぜ誰も俺に気づかないのだ――。

パーティ会場には、どうやら炙英社が雇ったと思われるカメラマンがいた。彼は作家を中心に写真を撮り続けていた。今年の受賞者は、特に何枚も撮っていた。熱海はカメラマンに気づかれようと、わざとそばを通りかかった。だがカメラマンはまるで無視だった。

結局、俺はまだ新米扱いなのだな、と熱海は解釈した。その時の受賞者は別にして、デビュー二年目の新人など、まだ作家扱いしないということか。もっと年月が必要だということか。

諦《あきら》めて会場を出ようとした時、一人の男を見つけた。炙英社出版部の神田という編集長だった。神田のところでは、単行本『撃鉄のポエム』を作ってもらった。

「神田さん」熱海は声をかけた。

俯《うつむ》いて歩いていた神田は、その声で顔を上げた。熱海を見て、一瞬戸惑いを見せた後、ああ、と口を開けた。

「熱海さん、来ておられたんですか」

「ええ、もちろん。だって僕、去年の受賞者ですから」

「去年の？　ええと、失礼ですが、何の賞でしたっけ」

「小説炙英新人賞に決まってるでしょう」

「ははあ、そうでしたか」神田は手帳を出して、それを開いた。中にはびっしりと何か書き込んである。「あっ、そうですね。『撃鉄のポエム』か。あれ、うちの新人賞でしたか」

「何ですか、その手帳は？」

「これですか。これはいろいろな新人賞の受賞作一覧表です。こうしておかないと、すぐに忘れちゃうんですよ」神田は開いていたページを熱海のほうに向けた。

それを見て熱海は目眩《めまい》がしそうになった。びっしりと書き込まれているのは、たしかに新人文学賞と受賞作のようだ。

「今までのを全部記録しているんですか。すごいなあ」

熱海がいうと、神田は首を振った。

「今までのを全部なんてとても無理です。これは去年一年間の分です」

「えっ、一年の？　まさか……」

「本当です。これでも全部じゃないんです。全国で開催されている小さな文学賞も含めますと、約四百ぐらいあるんです」

「四百……」

「つまり、毎年四百人の新人賞受賞者が誕生するということです。とても覚えきれるものじゃない。それでね、こうして手帳に書き込んであるというわけで」神田はにっこり笑って手帳を閉じた。「おや、熱海さん。どうかしましたか。顔色がよくないようですが」

6

「どうもお待たせしました」

小堺を見て、青田は露骨に顔を歪《ゆが》めた。

「何やってたんだよ。唐傘さんの二次会の会場へは、ほかの人はもう行ってるぞ。選考委員の先生とかをあんまり待たせるとまずいだろ」

「すみません。寒川先生に捕まっちゃって」

「寒川さん？　あの人、来てたのか」

「僕も気づかなかったんですけど、帰り際に呼び止められちゃって。二次会の会場はどこだって訊かれました」

青田は口元を曲げた。「教えたのか」

「教えないわけにいかないでしょ」

うーむ、と編集長は唸《うな》る。

「二次会の後も、ずっと俺たちについてくる気だぞ。銀座あたりに連れていかせようって魂胆だろう。参ったなあ、売れてた頃と感覚が変わってないんだもんなあ」

「寒川先生も、例の文学賞に五年続けて候補になったこともあるんですがね」

「あの頃がピークだったよ。あそこで受賞していれば、その後の経過も違ってきたんだろうが、結局獲《と》れなかったもんなあ。あの人の運も、あそこまでだったってことだ」

「第一線で活躍されてた人も、今や過去の人ということですか」

「まあそうだ。今じゃどこの出版社もあの人を敬遠してる。一番懇意にしていた出版部の神田でさえ、最近じゃ避けてるって話だからな」

「じゃあ、うちが貧乏くじを引かされるわけにはいきませんね」

「当たり前だ。二次会の会場から移動するのは、寒川さんがトイレに立っている時にしよう。その隙《すき》に、店を出る。わかったな」

「わかりました」

「あとそれからついでにいっておくが、西陣《にしじん》先生と羽生《はぶ》さんの接待もほどほどにしておけ」

「えっ、あのお二人もだめですか」

「営業からの報告だ。たしかに売れっ子扱いされているが、コンピュータの分析では、今の人気もよく保《も》ってあと二年らしい。あの二人は向こう二年間、うちで本を出す予定がない。接待したところで、無駄に終わる可能性が高い」

「あと二年で、あの二人も過去の人ですか」小堺は腕組みをした。つくづく厳しい世界だと思う。「ええと、ところで唐傘さんは？」

「トイレだ。おっとそれからもう一つ」青田は周りをさっと見渡し、人目がないことを確認してから、懐から携帯電話を取り出した。「藤原奈々子からメールがあったぞ。原稿が出来たらしい。すぐに見せたいそうだ」

「えっ、あの美人のナナちゃんから？」小堺の声も思わず弾んだ。

藤原奈々子は、昨年の新人賞で最終候補に残った一人だ。若くて美人、しかも小説の出来もまずまずで、灸英社としては是非とも売り出したい人材だった。それでこの一年、ずっとバックアップし続けてきたのだ。残念ながら今年の応募には間に合わなかったが、原稿が完成したということは、来年は受賞させられるかもしれない。

「楽しみですね。彼女なら、間違いなく文壇のアイドルに仕立て上げられますよ」

「うん。選考委員も来年は全員が男だし、彼女の写真を見せておけば、かなり有利に働くはずだ。おい、小堺、これから忙しくなりそうだぞ。まずは、彼女の原稿を読んで、アドバイスしてやらなきゃな。どうせ、例のあまったるい小説だろうから」

「承知しました。これから一年間は、唐傘さんの新作に全力を傾けるつもりでしたが、何とか時間を作って藤原ナナちゃんのほうもフォローします」

小堺が気合いを込めていったが、青田は不服そうだ。少し考えたように黙り込んでからいった。

「唐傘さんの新作は適当でいい。そんなに力を傾けるな。とにかくナナちゃんだ。藤原奈々子のほうに全力を投入しろ」

「えっ、でも、『虚無僧探偵ゾフィー』は傑作ですよ」

「わかってるんだよ、そんなことは。だけどな、あれだけの作品がぽんぽん生まれると思うか。次はどんなものを書いても、一作目より見劣りする。書評でだって叩《たた》かれる。で、本人は悩む。悩んで書けなくなる。そのパターンだ。間違いない」

「そういうもんですか」

「そういうもんだよ。だから今は、とにかく『虚無僧探偵ゾフィー』を売って売って売りまくるんだ。後のことなんか考えなくていい。唐傘ザンゲの作品は、生涯これ一作しか出ないというぐらいの気持ちでかかれ」

「これ一作って……でもまだ授賞式が終わったばかりなのに」

「馬鹿かおまえは」青田が渋面を作った。「授賞式が終われば過去の人だ」

選考会

1

コーヒーを飲みかけていた寒川は、神田の言葉を聞いて、口の中のものを噴き出しそうになった。あわてて飲み込み、口の周りを手の甲で拭《ぬぐ》ってから、改めて相手の顔を見た。

「えっ、何だって？」

「ですから」灸英社の編集長である神田は、にこにこ顔でいった。「先生に、是非、選考委員をしていただけないかと申し上げておるわけでして」

「えー、俺《おれ》がかあ」寒川は思わず顔が緩みそうになるのを懸命にこらえた。「選考委員って、何の？」

「だから、今度新設された新人賞の、です。灸英社推理小説新人賞というんですが」

「それの選考委員に？」

「はい」

「えー、俺がかあ。参ったなあ。話があるっていうから、どういうことかと思っていたけど、まさかそんなことをいいだすとは夢にも思わなかったよ」

もはや堪《こら》えきれず、寒川は満面の笑みである。

「いかがでしょうか」神田がテーブルに両手をつき、上目遣いをした。

「参ったなあ」寒川は髪の薄くなった頭に手をやる。「選考委員なんて、やったことないんだよなあ」

「先生、誰《だれ》にでも最初というものはあります」

「そりゃそうだけどさ」寒川は意味もなくコーヒーをスプーンでかきまわした。

躊躇《ためら》っているふうを装っているが、彼の心の中では引き受ける気満々である。ただ、あまり簡単にオーケーを出してしまうと、いかにも喜んでいるみたいだと思われそうで、というより喜んでいることがバレバレになるので、ちょっと勿体《もったい》をつけているにすぎない。

それに寒川としては、確認しておきたいことがあった。

「どうして俺なんだ。作家なんて、ほかにもたくさんいるじゃないか」

神田は身を乗り出した。

「先生、そうはおっしゃいますがね、実際のところ、ミステリ小説の優劣を見極める眼力を持っている方となると、そんなに多くはいらっしゃらないんですよ。大きな声ではいえませんが、まあ私の感覚ですと、せいぜいこれぐらいでしょうか」神田は両手を広げた。

十人、という意味らしい。「で、そうした先生方の殆《ほとん》どは、すでに何らかの賞の選考委員をいくつもおやりになっているんです。つまり新鮮味に乏しいというか、賞の特徴が出ないというか……とにかく私共としては、今回新設する賞の選考委員には、何とかまだ手垢《てあか》のついていない方になっていただきたいのです。そして先程いいました真の眼力の持ち主で、まだ選考委員をしておられない方といいますと、寒川先生ぐらいしか思いつかないわけなんですよ」

神田の話を聞くうちに、寒川の頰《ほお》は緩みっぱなしになっていった。これだ、これ。こういう台詞《せりふ》を聞きたかったのだ。

「まあ、それはそうかもしれないけどさあ、俺も執筆に忙しいし、これまで選考委員の依頼は全部断ってきたからなあ」

嘘《うそ》だった。断る以前に、依頼されたことなど一度もなかった。

「だめでしょうか」神田が下から覗《のぞ》き込んできた。「もちろん、無理にでもお願いしようとは思っていないわけですが」

寒川は少し狼狽《ろうばい》した。神田の顔に、これ以上固辞されたら諦《あきら》めよう、というような表情が浮かんでいたからだ。勿体をつけすぎて、相手に引き下がられたのでは元も子もない。

「いやいやいやいや、絶対に嫌だ、といってるわけじゃないんだ。ただね、今ここで答えを出せといわれると、少し迷う、というだけのことで」

「では、考えておいていただけるでしょうか」

「うん、そうだね。一両日中に返事するよ」

「わかりました。どうも無理なことをお願いして申し訳ありません。先生のお力をお借りできれば、今度の新人賞も必ず成功すると思います。どうかよろしくお願いいたします」

神田は深々と頭を下げた。

喫茶店を出て、通りの角を一つ曲がったところで寒川はガッツポーズをした。周りに人がいなければ、雄叫《おたけ》びを上げたいような気分だった。

やったぞ、ついに俺に選考委員の話が来たぞ、この俺が賞の選考をするのだ、俺が選ぶのだ、新人賞を選ぶのだ、候補作を読んで選ぶのだ、選考会に出て、ほかの委員と話し合って選ぶのだ、選んだ後は選評を書くのだ、俺は今日から文学賞の選考委員なのだ——。

寒川は歩きながら携帯電話を取り出した。親しい作家に電話をかけた。

「もしもし、俺だよ、寒川だ。いやあ、じつは面倒なことを頼まれちゃってさあ。……それがねえ、新人賞の選考委員なんだ。……うん、灸英社の。それでねえ、参ってるんだ。神田君には世話になっているから断りにくいし、かといって迂闊《うかつ》に引き受けると大変だとも思うしねえ。……ああまったく、選考委員を頼まれるなんて、考えもしなかった。そういえば俺もベテランの部類に入ったのかと思ったりしてねえ」

上機嫌でしゃべりまくる寒川だった。彼がその夜のうちに神田に電話をかけ、選考委員の件を了承したのはいうまでもない。

2

新人賞の候補になっている四つの作品が寒川のもとに届いたのは、それから約半年後だった。いずれも原稿用紙にして五十枚から百枚という短編だ。

いよいよだな、と綴《と》じられた四つの冊子を見下ろし、寒川は腕組みをした。気合いが入っていた。この日が来るのを、どれほど待ちわびていたことか。

寒川心五郎は作家になって三十年以上になる。小説誌の新人賞の佳作になったのを機にデビューし、こつこつと著作数を増やしてきた。ベストセラーといえるものは、残念ながら一つもない。本を出しても大抵は初版止まりだ。文学賞の候補になったこともあったが、結局受賞できぬまま、チャンスを逃してしまった感がある。それでも今日まで作家として生きてこられたのは、地道に書き続けてきたからにほかならない。注文があれば、どれほど日程的に苦しくても、断ったことなど一度もない。小説誌の編集者などから、「便利な作家」と認識されていることを彼は自覚していた。それが生命線であることもわかっていた。

しかし欲が消えたわけでは決してない。売れたいという思いは、昔と変わらず強い。有名になりたいとも思っている。何より、皆から認められたいと願っていた。作家として一流であり、書き手の中でも一段上の存在だと評価される日を夢見てきた。

文学賞の選考委員――それはまさに作家として認められた証《あかし》だ、と寒川は考えていた。ほかの作家の作品を評価し、合格点を与えたり、不合格の烙印《らくいん》を押したりするのだから、まさに作家の中の作家ということになる。

いつか自分にもそんな話が来ないかとずっと考えていた。文学賞に落ち続けている彼は、一度でいいから選ぶ側に回りたいとも思っていた。

その夢がついに叶《かな》ったのだ。

寒川は深呼吸をし、記念すべき最初の候補原稿に手を伸ばした。『虚無僧探偵ゾフィー』という作品だった。パソコンで書かれた原稿だ。最近では手書き原稿は殆どないらしい。昔の選考委員は大変だっただろうなあ、などと考えた。

少し読み進むうちに、眉間《みけん》に皺《しわ》を刻む回数が多くなってきた。文体に癖があるので、ひどく読みにくいのだ。寒川は傍らの筆立てから赤のボールペンを抜き取った。気に入らない部分の添削を始めていた。

いや、いかんいかん――。

彼はボールペンを元に戻した。自分のすべきことは作品を評価することであって、添削することではない、と思い出した。

引き続き、読み始める。いたるところに引っかかるところがあるのだが、それも我慢して読む。

これは結構大変な作業だな、と彼は吐息をついていた。もちろん、だからといって、その作業が嫌だとは少しも思わなかった。

読み終わってから首を振った。これはだめだなと思った。あまりに荒唐無稽《こうとうむけい》すぎるのだ。途中でストーリーがぐちゃぐちゃになっている印象で、ラストのオチもよくわからない。はっきりいって、どこが面白いのか、なぜ候補に残ったのか、まるで理解できなかった。

寒川は『虚無僧探偵ゾフィー』をほうりだし、次の『殺意の蛸足《たこあし》配線』という原稿に手を伸ばした。

3

いよいよ選考会の日である。寒川は会場となっているホテルに向かった。

会場には、神田たち編集者数人と、友引三郎《ともびきさぶろう》という選考委員がすでに到着していた。選考委員は、あともう一人いる。つまり全部で三人だ。

残りの選考委員のことは、寒川は全員知っていた。面識もある。キャリアは寒川と同じようなもので、知名度も似たりよったりだ。さらに、全員が選考委員をするのは初めてのはずだった。

「寒川さん、どうだった？」友引がひそひそ声で訊《き》いてきた。

「どうって？」

「候補作だよ。面白いのはあった？」

「えー、今ここでそんなことを訊かないでくれよ。後でゆっくり話し合うわけだし」

「まあそうなんだけどさ、推したいのがあるかどうかぐらいはしゃべったっていいだろ」

「うーん、そうだなあ、とりあえず、これかなっていうのは決めてきたけど」

「ふうん、そうか」

「あんた、どうなの？」

「俺はねえ、まだ決めかねてるんだよね。皆さんの意見を聞いて、それから決めようかなって思ってる」

「そうなのか」

そんな人間もいるのか、と寒川は意外な思いで友引の横顔を見つめた。

じつは寒川は、受賞させるのはこれしかないと作品を決めて、この選考会にやってきたのだ。誰がどう見ても、ほかの作品とはレベルが違うと確信している。迷いようがないはずなのだ。

残るもう一人の選考委員である、轟木花子《とどろきはなこ》という女性作家が到着した。それを見て神田が立ち上がった。

「それではこれより第一回灸英社推理小説新人賞の選考会を行いたいと思います。私が司会進行を務めますので、よろしくお願いいたします」

大きなテーブルを挟んで、神田を含めた四人が、向き合う形で席についた。寒川の隣が神田で、正面が友引、斜め前が轟木花子だ。

「何だか緊張しますね。私、選考委員なんて初めてなんですよ」轟木花子が、丸顔を少し紅潮させていう。「責任重大だわ」

「まあでも新人賞だから、気楽にやっていいんじゃないんですか。これで一生が決まるわけじゃないし」友引が口の端を曲げた。

「あら、でも、これで受賞したのをきっかけに、本格的に作家を目指そうって思うかもしれないじゃないですか。そう考えると、慎重に決めなきゃいけないと思いますけど」轟木が、きっと友引を睨《にら》む。

「本気で目指そうと思っている人間なら、こんなところで仮に落ちたって、目指し続けますよ。受賞したら目指そう、だめなら諦めよう、なんて思っている人間は、結局成功しないと思うな」

「そんなのわからないじゃないですか」

「そう、先のことなんか誰にもわからない。だから、将来のことまで考慮してやる必要はないんです」

「私がいってるのはそういうことじゃなくて――」

「まあまあ。まあまあまあまあ」神田が腰を浮かし、広げた両手で二人をなだめるしぐさをした。「とりあえず選考のほうに移りませんか。議論は大いに結構ですが、作品についてやっていただくということで」

轟木花子はまだ何かいいたそうだったが、不承不承といった感じで頷《うなず》いた。友引は何もいわず、候補作品のコピーを眺めている。

「それではですね、まず今回の四つの候補作について、それぞれＡＢＣの三段階で評価していただけますか。皆さんの評価が出揃《でそろ》ったところで、個々の作品について議論していただくということで……」神田は三人を見回してから続けた。「それでいいですね。では、ええと、轟木先生のほうから」

「あら、私からなの？」

「あ、いえ、どなたからでもいいんですが……」

「じゃ、俺からやりましょうか」友引がいう。

「いいです。私から発表させていただきます」轟木は背筋をぴんと伸ばし、バッグの中からノートを出してきた。「ええとまず、『殺意の蛸足配線』ね。この作品は、大家族が出てきて、それぞれがきちんとした血の繋《つな》がりがないという設定なんですけど、やっぱりちょっと無理が多いような気がします。各自の思惑というか、殺意が、それこそ蛸足配線みたいに絡み合っているというのは面白いんですけど。私としては『野豚の呪《のろ》い』のほうが」

「あの、先生、轟木先生」神田があわてて制止した。「細かい感想につきましては後で伺うということで、今はABCの評価だけお願いできませんか」

「あ、そうか。ごめんなさい。ええと、というわけで蛸足はB。野豚がA」

彼女の評価を聞き、寒川はちょっと憂鬱《ゆううつ》になった。自分の評価と少し違うからだった。選考は難航するかもしれないなと思った。

「『虚無僧探偵ゾフィー』はC。これ、ふざけた作品よね。で、『いっぱい殺して』もC」

「えっ」友引が何かいいたそうにしたが、すぐに自分のメモに目を落とした。「じゃあ、次は俺の評価ですが、正直なところ、Aに推したいっていうのはないんです。まあ、強いていえば、『いっぱい殺して』かな。うん、これはAでいいや」

轟木花子が目を剝《む》いて友引を見た。

「『虚無僧探偵ゾフィー』は論外。Cだな。あとの二つは似たようなものだけど、蛸足はBにしておこう。で、野豚がC」

轟木が唇を嚙《か》んでいる。

寒川も友引の意見には驚かされていた。これまた彼とは違っていたからだ。どうしよう、と一瞬迷った。だがすぐに、こんなところで自分の意見を曲げてはいけないと思い直した。

「寒川先生は……」神田が促してきた。

「ええと、僕は」咳払《せきばら》いした。「『殺意の蛸足配線』がAです。『野豚の呪い』はB。『虚無僧探偵ゾフィー』はC。それで、えーと、『いっぱい殺して』はBです」

寒川の発言に、友引が不機嫌そうに唇を突き出した。『いっぱい殺して』をBにしたことが不満らしい。

「割れましたねえ」神田が困惑を見せた。「とりあえず、全員がCをつけた『虚無僧探偵ゾフィー』は落としてもいいでしょうか」

いいんじゃないの、と轟木花子がいった。

「これ、意味がよくわかんなかったんだよな」友引が首を傾《かし》げる。「作者があわてて書いたんじゃないか。後半、矛盾点がいっぱい出てきたぜ」

「おまけに、話が尻切《しりき》れトンボだった」寒川も同調した。

「そうそう。大体、虚無僧が現代日本で活躍するなんて、でたらめすぎるわよ。文章もひどいし」

「じゃあ、『虚無僧探偵ゾフィー』は落選ということで」神田は額の汗をハンカチで拭《ふ》いた。「さてここからですが、困りましたね」

「寒川さんさあ」友引がいった。「『いっぱい殺して』がどうしてBなわけ？」

「だってこれ、ミステリじゃないだろ。官能小説だろ」

「官能ミステリだよ。意外性はあるし、セックスシーンなんて、なかなかうまく描いてるよ。面白かったけどな、俺は」

「でもちょっと下品よねえ」轟木が顔をしかめる。

「官能小説は、それぐらいがちょうどいいんです。上品な官能小説なんて、面白くも何ともない」

「だけど面白いという点では、今回はやっぱり『野豚の呪い』じゃないかしら。正統派のホラーに仕上がってると思うんだけど」

「陰気だよ。つまんないよ」友引は吐き捨てるようにいう。

「ホラーとしてはいいかもしれないけど、明らかにミステリじゃないでしょ」寒川は轟木にいった。「メイントリックに超常現象を使ってるってのは、どうかと思うな。アンフェアですよ。ミステリファンとしては白けます。その点、『殺意の蛸足配線』は、手堅くまとめてあるという感じです」

「たしかに手堅いけど、新鮮味はないぜ」友引が口元を曲げる。

「そうかなあ」

「だって、ただ人間関係を複雑にしてあるだけで、動機は結局、男女の愛憎とか財産狙《ねら》いとか、ありきたりなものばかりだ。その人間関係にしたって、要するに爺《じい》さんがいっぱい妾《めかけ》をこしらえてたってだけのことじゃないか」

「でも、トリックだってよく考えてある。犯人の意外性もあったし」

そうかなあ、と友引は唸《うな》り声を上げる。

「トリックなら、野豚のほうが上だと思いますけど」

「だから、あれはトリックじゃないですよ。呪い殺すなんて、非科学的すぎます」

「非科学的でも、一応そういう方法があるっていう前提で書かれているんだから、アンフェアではないでしょ」

「そんなことといったら、何でもありじゃないですか」

「俺は何でもありでもいいとは思うけどね」友引がいう。「問題は、どれだけ面白いかってことだ。面白けりゃいいんだよ。で、そういう点では『いっぱい殺して』が一番だと思うね。とにかくセックスシーンがいい。興奮できる。野豚はだめだ。面白くない。辛気くさいだけだ」

「いーえ、野豚です。私は絶対に譲りません」

「野豚、野豚って、いくら同類だからって、そんなに肩入れするこたあないでしょう」

「何ですって」轟木花子が目を吊《つ》り上げた。「し、し、失礼な。あんたこそ、ただのエロ好きの助平おやじのくせに」

「何だとっ」

「まあまあ、まあまあまあまあ」

　灸英社推理小説新人賞選考会は、このように第一回から大激論となった。話し合うこと三時間半だ。最終的には神田の提案で、寒川がAをつけており、ほかの二人もBをつけた『殺意の蛸足配線』を受賞作とすることで、話がまとまった。寒川としては大満足だった。

対立していた轟木花子と友引は、議論し過ぎてくたくたになり、とにかく敵の作品を受賞作にしないのならばどうでもいいや、という感じになったのだった。

後で知ったことだが、『殺意の蛸足配線』の作者は五十四歳の男性で、現在は市役所に勤めているという。間もなく定年退職となる身だけに、作家という新たな道を発見できたことは、本人にとって大きな幸運だろう。

選考会の打ち上げの後、ほろ酔い気分で寒川は帰途についた。すがすがしい気分だった。やっぱり選考委員はいい、と改めて思った。来年の選考会が、早くも楽しみになっていた。

4

神田をはじめ、選考会に同席した編集者は、打ち上げの後、一旦《いったん》会社に戻った。酔っている者など一人もいない。当然だった。これから彼等《かれら》は重大な仕事に取り組まなくてはならないのだ。

「さて……と」神田は部下たちを見回した。「じゃ、始めようか」

部下たちはのろのろと席につく。誰もが気乗りしていない顔つきだ。神田だって、気分は暗い。しかし上からの命令だけに、逆らうわけにはいかない。

「とりあえず、ほぼ予想通りの結果だったな」

神田の言葉に部下たちは頷く。

「やっぱり、蛸足が受賞してしまいましたね」若い女性編集者がいった。

「手堅い、といえば手堅いからなあ」神田は苦笑する。「欠点は少ないし、大きな破綻《はたん》もない。さすがは公務員だと思ったよ」

「でも古臭いっすよね」若手編集者が発言し、皆がぎくりとするのを見て、あわてて取り繕った。「あっ、いえ、古臭いってのはいいすぎかもしれませんけど」

「いや、実際そうだ。古臭い。今時、あんな作品が新人賞を受賞するなんて、ちょっと考えられない。俺は思ったよ。社長の判断は正しかったのかもしれないってね」

皆が、同感です、というように頷いた。

「轟木先生は、『野豚の呪い』を推されましたね」女性編集者がいった。「あれは少し意外でした」

「そうかな。あの先生は、ああ見えても結構流行なんかを気にしているから、昨今のホラーブームのことも意識していると思うよ」こういったのは男性のベテラン編集者だ。「それより、友引さんが『いっぱい殺して』を推したことのほうがびっくりした。あの人は頑固なところがあるから、絶対に、蛸足配線を推すと踏んでいたんだ」

「うん、それについては俺も同意見だ」神田はいった。「だから、まだ少しは見込みがあるのかなとほっとしたんだよ」

「でも、『虚無僧探偵ゾフィー』は、やっぱり誰も推しませんでしたね」若手編集者が苦笑いしながらいった。

「そうだなあ、やっぱり無理だったなあ」神田は頭の後ろで手を組み、大きく身体《からだ》を反らせた。「あの作品が編集部内ではダントツの一位だったと聞けば、あの三人の先生は驚くだろうなあ」

「そもそもあの作品の仕掛けに、どなたも気づいておられない様子でしたもんね」女性編集者は笑いをこらえているようだ。「矛盾が多いって、友引さんがいってたけど、その矛盾こそが仕掛けなのに」

「文章がまずいという指摘もあった」ベテラン編集者がいう。「我々全員が絶賛した、あの画期的な文体を、ただの下手《へた》な文章と思ったらしい」

「尻切れトンボだといったのは誰だったかな」神田が訊く。

「寒川先生です」若手が答えた。「あれを聞いた時には、僕、椅子《いす》から転げ落ちそうになりました。そう読むかって感じです」

「最後のあの一行で、それまでの世界が完全に逆転して、しかもどうして虚無僧なのかという謎《なぞ》まで解ける仕掛けなのにねえ。あれを聞いて、あたしもがっかりしちゃいました」

「うーん、あの作品のすごさは、さすがにあの三人でもわかると思ったんだけどなあ」神田は苦渋の表情を浮かべた。「まあこれで、いろいろとはっきりしたわけだけどな。わざわざ新人賞の選考会まででっち上げて、何の意味があるのかと思ったけれど」

「あの三人の先生、騙《だま》されたと知ったら怒るでしょうね」若手が、やや楽しそうな顔でいった。

「そりゃそうだよ。いくら社長命令とはいえ、俺も迷ったもんなあ」神田はしかめっ面で頭を掻《か》いた。「だから、絶対にでっち上げとばれちゃいけない。とりあえず、今回は賞を出す。で、これでこの賞は終わりってことにする。『虚無僧探偵ゾフィー』という傑作が手に入っただけ、よかったと思わなきゃな。これは予定通り別の賞に回そう」

神田は一年ほど前に社長から命令されたことを思い出していた。その命令とは、仕事を依頼する作家を整理しろ、というものだった。

本が売れないという状況は年々ひどくなっている。以前は、いずれ大化けしてくれるかもという期待で、売れない小説家の本も出してきたが、さすがにその余裕がなくなってきたのだ。今後売れる見込みのない作家は切っていけ、と社長はいうのだった。

だが作家の将来性など、そう簡単にはわからない。何年も売れなかった作家が、ある日突然ブレークすることもあるのがこの業界なのだ。

将来性があるかどうか、つまり光る感性を持っているかどうかを判別する——その方法として考案されたのが、今回の新人賞選考会だった。

寒川心五郎、友引三郎、轟木花子、この三人は、じつはボーダーラインの作家だった。この中で最も先行きの見込みがないと思われる作家を一人、選ばねばならなかった。その作家には、今後灸英社が仕事を依頼することはなくなるわけだ。

今回の候補作四つは、彼等の才能を調べるための道具だった。あの四作品を読んでどのような評価を下すかによって、三人の作家としての力量を測ろうということだったのだ。たとえば、もし『虚無僧探偵ゾフィー』を推すようなら、まだまだ感性は鈍っていない、と判断されるはずだった。そして、こんな作品を推すようでは、ちょっともう感覚がずれていると判断されるのが、『殺意の蛸足配線』だった。

「じゃあ、投票に移ろうか」神田が皆を見回した。「評価は三段階。ＡＢＣで示してくれ。端から順番にいこうか」

ベテラン編集者が重そうに口を開いた。

「友引さんと轟木さんはＢです。寒川さんは……Ａ」

続いて女性編集者が小声でいう。

「あたしは、轟木さんはまだCでもいいかな。友引さんはB。寒川先生は……ごめんなさい、Aです」

「僕も寒川さんはA。ダントツです。あとの二人はB」

部下たちが次々に評価を下した後、神田の番になった。彼は首を振った。

「俺がいうまでもないな。ていうか、俺も寒川さんがAだ。というわけで、全員一致で、感覚が鈍っていて将来性がない作家のグランプリは、寒川心五郎先生ということになりました。どうもお疲れ様」

何人かが、ぱちぱちぱち、と力なく拍手した。

巨乳妄想症候群

1

冷蔵庫を開けたら巨乳が二つ並んでいた。

ふくよかな丸みを帯びたオッパイである。乳輪は薄いピンク色で、五百円硬貨ほどの大きさだ。その上に、同じ色をした乳首がかわいく載っている。

私は冷蔵庫の扉を開けたまましばらく呆然《ぼうぜん》とし、その後おずおずと手を伸ばした。一方の巨乳をむぎゅと摑《つか》んだつもりだった。

しかしその手応《てごた》えは私の予想を裏切るものだった。感触は固く、しかも冷たかった。瞬《まばた》きしてみた。

私は肉まんを摑んでいた。それで思い出した。昨日、コンビニで肉まんを三つ買い、一つだけ食べて、残りはラップして冷蔵庫に入れたのだ。

肉まんが女性の乳房に見えたということか。

疲れてるのかなあと苦笑しながら、私はその肉まんを電子レンジに入れ、スイッチを押した。そもそも、腹が減ったから冷蔵庫を開けたのだった。

温めた肉まんにかぶりつきながら、リビングのソファに腰かけた。だが何気なくそばのゴミ箱に目をやった途端、喉《のど》を詰まらせそうになった。

ゴミ箱から巨乳が覗《のぞ》いていたのだ。

おそるおそる近づき、目を凝らした。どう見ても真っ白なオッパイだった。私はさっきと同じように触れてみた。その瞬間、柔らかそうだったオッパイは、ただの発泡スチロールの器へと形を変えた。何のことはない。昨夜私が食べたカップラーメンの容器だった。

ゆうべの酒がまだ残ってるのかなと思った。しかし昨夜は缶ビールを二本飲んだだけだ。あの程度の酒で酔ったことなど一度もない。

大したことじゃない、と私は自分にいい聞かせた。見間違いなんてことは誰《だれ》にでもある。それに最近は仕事のしすぎで目も疲れている。私の仕事はイラストレーターだった。

気を取り直して、仕事にかかることにした。私は最近では殆《ほとん》どの仕事をパソコンでこなしている。

デスクの前に座り、パソコンを起動させた。ふと手元を見て、目を剝《む》いた。

オッパイがマウスパッドの上に載っていた。

そんなはずはない。オッパイであるわけがない。これはマウスだ。その証拠に、コードが延びてキーボードと繫《つな》がっている。

私はオッパイに、いやマウスに手を載せた。思った通り、それはマウス本来の形に戻った。吐息をついて乳首を、いやボタンをクリックした。心臓がまだどきどきしている。

パソコン画面に、昨日描いたイラストを表示させた。美少女の戦士が剣を構えているという構図だ。あるゲーム会社から頼まれた仕事である。

眺めているうちに、美少女の胸がちょっと小さいんじゃないか、という気がしてきた。ここはもっと大きく描いたほうがよさそうに思える。

少し修正してみたが、まだ物足りなかった。もっと大きいほうがいい。オッパイは大きいほどいい。私はどんどん描き足していった。

玄関のチャイムの音がした。それで私は我に返った。

インターホンを取り上げた。「はい」

「すみません。管理人のヤマダですが」男の声がした。「今、ちょっといいですか」

私は内心舌打ちをした。面倒臭いなと思った。しかしここの管理人は、用件が済まないかぎり、何度でも訪ねてくるのだ。だったら早いところ片づけたほうがいい。

いいですよ、と私は答えた。

ドアを開けると管理人が作業着姿で立っていた。管理人は禿頭《はげあたま》のはずだった。しかしそこに目をやった私は、わっと大声をあげていた。管理人の頭が巨乳になっていた。

「どうしたんですか」管理人が怪訝《けげん》そうに私を見た。その顔の額から上がオッパイだった。頭頂部に乳首が立っている。

「いや、あの、なんでも……」

私は一旦《いったん》目をそらしたが、そこを見ずにはいられなかった。管理人はこちらの思いなど知る由もなく、何やらさかんにしゃべっている。彼が顔の向きを変えるたびに、頭の巨乳はぷるんぷるんと揺れた。それを見ていると少し勃起《ぼっき》した。

「あのー」巨乳頭の管理人がいった。「というわけで、このゴミ分別に合意してもらえるなら、判子がほしいんですけどね。サインでも結構ですけど」

「あ、はいはい。ええと、どこにサインを？」

「ここです」そういって管理人は書類をのぞき込み、その部分を指差した。その時、彼の頭が私の目の前にきた。巨乳がすぐそばにあるのだ。量感のある、白く、柔らかそうな乳だった。

「わっ、何するんだっ」管理人が頭を押さえ、後ろに飛び退《の》いた。

「えっ」

「えっ、じゃないだろ。なんだよ、急に。人の頭を摑んどいて」

そういわれて気がついた。たしかに今、私は巨乳を両手で鷲摑《わしづか》みしようとしたのだ。だが巨乳などはどこにもない。管理人の頭は元の禿頭に戻っていた。

「すみません。ちょっと疲れてて」私は管理人が落とした書類にサインをし、彼に渡した。彼は怯《おび》えたような目で私を見ながら、足早に去っていった。

私はドアを閉めると仕事場に戻った。軽く頭痛がしている。寝たほうがいいのかなと思った。

パソコンの画面には二つの巨大な球体が描かれていた。おかしいなこんなものを描いたはずはないのだが、と絵を動かしているうちに思い出した。それは美少女の巨乳なのだった。もっと大きくもっと大きくと思って描いているうちに、女の子の身体《からだ》よりも大きくなってしまっていた。

私は椅子《いす》に座り、パソコンのスイッチを切った。

2

「巨乳妄想症候群だな」友人のタムラがさめた口調でいった。彼は精神科医の肩書きを持っている。

「なんだそれは。聞いたことがないぞ」

「最近、我々の間で注目されている病気の一つだ。どんなものでも女の乳に見えてしまうという症状だ。しかも巨乳にな」

「いやあ、まさにそうなんだ。ここへ来る途中でも、果物屋の店先に並んでいる桃が全部巨乳に見えてびっくりした。目がおかしくなったのかと思った」

「目じゃなくて頭に問題があるんだ。頭の病気だ」

「なんでこんなことになってしまったんだろう」

「一つには強迫意識だな」

タムラは一枚の絵を手に取った。私が描いた例の美少女戦士のイラストだった。自分の症状を説明するため、プリントアウトして持ってきたのだ。

「君の場合、女の子は胸が大きくなければならないという意識が強すぎるんだ。そうしないと魅力的に見えないとさえ思っている」

「魅力的に見えないというより、クライアントからＯＫが出ない」

「同じことだよ。どんなキャラクターであろうとも、女の子を描く以上は巨乳でなければならない、そうしないことには自分の絵は認められない、つまりは自分自身が否定されるとまで思い込んでいるんだ」

「そうなのかなあ」

「このイラストがそのことを物語っている」

「まあたしかに、貧乳の女の子を描いたって捨てられるだけだと思っているけどさ」

「それは思い込みだ。魅力的に描くことは求められているだろうが、巨乳である必要はないはずだ」

「だけどクライアントが……」

「そのクライアントも巨乳妄想症候群にかかりかけているんだよ」タムラはぴしゃりといいきった。「クライアントはファンのニーズに応えようとしているわけだが、魅力的イコール巨乳という考えにとらわれていて、そこから離れられなくなっている。胸を小さくしたら商品の人気が下がるんじゃないかと恐れているわけだ」

「でも実際に、胸の小さなキャラクターよりも大きいキャラクターのほうが人気があるらしいんだ」

タムラはため息をつき、ゆっくりとかぶりを振った。

「ファンや消費者にも巨乳妄想症候群の兆候が出ているということだよ。本来は胸の大きさにかかわらず魅力的なキャラクターを求めていたはずなんだが、次々と提供されてくる巨乳偶像を見て喜んでいるうちに、女の子は胸が大きければ大きいほど魅力的なのだと錯覚するようになったというわけさ。そういうニーズに呼応して、君たちクリエイターの側も、不自然なほどでかいオッパイをかわいい顔をした女の子にくっつけたりする。それを見てファンや消費者は喜び、もっともっとということになる。デフレスパイラルならぬデカパイスパイラルとでも呼べる現象だ」

「でも大きければ大きいほど喜ばれるというものでもないぜ。度外れにでかいのは、やっぱり変だといわれる。理想的な大きさやバランスというのはあると思うな」

「その理想的な大きさやバランスが、年々狂ってきていると思わないか。おしまいには、どういうのが理想的かという考えもなくなり、ただとにかく乳がでかければいいという思いに支配されるようになるんだ。君のようにね」そういってタムラは私が描いたイラストの美少女をこちらに向けた。

私はイラストから目をそらした。「しばらく仕事を控えたほうがいいかな」

「それだけではだめだ。今の君の頭の中は巨乳のことでいっぱいになっている。いわば巨乳に支配されている状態だ。日常生活のすべてから巨乳を排除しなければならない。巨乳を見たり、連想することを聞いたりしてもいけない。下ネタを話すのはいいが、乳に関することは話題に出すな」

「そんな殺生《せっしょう》な」

「完全に実行するのは難しいだろうが、出来るかぎり努力してくれ。そうしないと症状はますます進行するぞ。今はまだ禿頭が巨乳に見える程度だが、そのうちに人の顔がすべてそう見えるようになる」

「脅かすなよ」

「事実をいってるんだ。とりあえず薬は出してやる。それを飲んでおけば、禿頭や肉まんが巨乳に見えたりすることはなくなるはずだ。ただし対症療法だから、根本的に治したければ、今いったことを守るんだ。わかったな」

タムラの厳しい台詞《せりふ》を背に、私は病院を出た。

薬を飲んだせいか、街を歩いていてもおかしな幻覚は見えなくなっていた。果物屋の桃も、桃のままだ。私はほっとして前を見た。若い女性が歩いてくるところだった。彼女は胸のあいた服を着ていた。

しかも巨乳だった。

頭がくらっとし、下半身から力が抜けた。気がつくと私は道端に倒れていた。

「大丈夫ですか。どうしたんですか」

女性の声がした。私は頭を振り、目頭を押さえてから、相手を見た。先程、前から歩いてきた女性だった。

「大丈夫ですか。救急車、呼びますか」そういって彼女は前屈《まえかが》みになった。その胸の谷間がどーんと目に飛び込んできた。私の全身の血が激流となって体内を暴れ回った。心臓がばくばくし、頭の中ではがーんがーんとドラが響いている。揉《も》みたい揉みたい揉みたい揉みたい、吸いたい吸いたい吸いたい、揉みたい吸いたい揉みたい吸いたい——一体自分のどこにこんなに潜んでいたのかと思うほど、剝き出しの欲望が頭の中を埋め尽くしていった。

「あの……」彼女は何も知らず、さらに私の顔を覗き込んでくる。胸の谷間がさらに深く見えた。

「ひいいいいい」私は頭を抱え、その場でうずくまった。「はは、はやくあっちへ行ってください。おおお、お願いです。お願いです」

巨乳にむしゃぶりつきたいという欲望の波に、私は必死で耐えていた。どれほどの時間そうしていたのかはわからない。しばらくして顔を上げると、そこにはもう彼女の姿はなく、道行く人々が気味悪そうにこちらを見ていた。

私はあわててその場から離れると、タムラに電話をかけてみた。

「やっぱりそうなったか」事情を聞いた彼は冷静な口調でいった。「薬の効果で幻覚は見えなくなっている。ただしその分、巨乳を求める気持ちは発散されることなく、潜在意識として蓄積されていくんだ。その状態で本物の巨乳なんかを見たものだから、ダムが決壊するかの如《ごと》く、欲望が爆発したわけだ。だからいっただろう。巨乳には近づくな。見るな聞くな考えるな。今のおまえが助かる道はそれしかない」

「いつまでそうしてればいいんだ」

「治るまでだ。決まってるだろ」タムラは非情にもいい放った。

3

それからも私の苦悩の日々は続いた。女性の胸に目を向けないように気をつけねばならないのは無論のこと、本屋やコンビニに入っても雑誌コーナーには近づけなかった。昨今の男性雑誌の表紙には、ほぼ例外なく巨乳アイドルタレントが使われているからだ。特に中年サラリーマンをターゲットにしていると思われる男性週刊誌の場合は、胸の谷間を見せつけるポーズのものが多く、ちょっと油断するとそちらに目を向けてしまいそうになるのだ。

家にいても、余程のことがないかぎりテレビは見ない。昨今のテレビ番組は、巨乳タレントに占拠されているからだ。昔は深夜のバラエティ番組ぐらいにしか出てなかったと思うのだが、今ではゴールデンタイムはいうまでもなく、昼間の番組でも大活躍だ。ＮＨＫ

でもドラマの場合は油断できない。胸が大きいという理由だけでグラビアでデビューを果たしたアイドルが、そのまま女優に転身しているケースだって増えているからだ。

いやニュース番組でさえ、もはや安心できない。巨乳のアナウンサーというのも皆無ではないからだ。一応彼女らは胸が目立たない服を着てはいるが、私ほどの眼力の持ち主になると見抜けてしまうのである。

一体いつから日本は、こんなに巨乳をもてはやすようになってしまったのか。タムラのいっていたことには首肯できる。全体的バランスを無視して、とにかく胸がでかければ魅力的という不文律が出来ているように思える。誰がそんなふうにしたのか。それとも日本の男たちは自ら好んでそのように変わっていったのだろうか。

もちろん、男が大きな胸を好むのは今に始まったことではない。たとえば昭和初期には、結婚相手の胸が小さいので離婚したい、と裁判を起こした男がいたそうだ。当時は婚前交渉は基本的になかったので、その男も妻の裸を見る機会がなかったのだろう。この裁判では、妻の胸を判事らが観察したらしい。その上で、「婚姻生活を続けるのが著しく困難とは思えず」という理由で男の訴えは却下された。まあ、当たり前のことだが。

昭和時代、大きな胸は「ボイン」と呼ばれた。月亭可朝《つきていかちょう》という落語家は、『嘆きのボイン』という歌をヒットさせた。小学生でさえ歌っていた。この言葉がいつから使われたのかはさだかでない。広辞苑で調べてみたら、ちゃんと載っていた。ただし、「ぼいん」と平がなで表記してある。

たしかに昔から胸の大きな女性は男たちの憧《あこが》れの的ではあった。しかし全体的なバランスを抜きにしたものではなかったはずだ。外国の男性雑誌などには、日本人には考えられないような胸の大きな女性のヌードグラビアなども載っていたのだが、あくまでも外国人女性だからという但し書きが潜在意識の中にあり、同じものを日本人女性に求めようという意識はなかった。また、それらの外国人女性モデルは、胸が大きいだけでなく背も高かった。つまりバランスはよかったのである。

ところがある時期から、突然巨乳タレントが世の中を席巻《せっけん》するようになってしまった。

これはどういうことだろう。

それはたぶんアダルトビデオと無関係ではない。そもそも巨乳という言葉はＡＶから出てきたのだ。巨乳のほか、美乳とか爆乳なんていう言葉も生み出された。

すると数多くの乳自慢娘がビデオを通して男たちの股間《こかん》と共に妄想をも膨らませていった結果が今の状況なのか。それともＡＶ業界の連中は早くからオッパイが天下を取ると見抜いていて、それに対応した商品をいち早く揃《そろ》えたということか。

たしかなのは、ここにもデカパイスパイラルが存在しているということだ。

胸の大きさを表現するのに、よくブラジャーのサイズが持ち出される。それは昔も同じだが、Aカップ＝胸が小さい、Bカップ＝ふつう、Cカップ＝ボイン、という感じだったと思う。そこから、Dカップ＝すごいボイン、となったはずだ。

それが今はどうだ。巨乳と呼ばれるのは、最低でもEカップではないか。Dはやや大きい、Cはふつう、Bは小さい、Aは論外という感じになっていないか。

日本人女性の体格が変わったのはわかる。しかしたった二十年ほどで、そんなに進化するものなのか。そこで知り合いの女性デザイナーに電話してみることにした。彼女は下着メーカーの仕事をしていたこともあるはずなのだ。

「あー、それはねえ、理由は二つあるの。一つはやっぱり体格の変化。食生活が変わったからねえ」彼女は気さくな調子でしゃべりだした。「もう一つは、ブラに対する意識の変化。昔だってねえ、胸の大きな人はいたわけ。そんな人は自分に合うのがなかったんだけど、無理してCカップとかをつけてたんだよね。胸が大きいってのを恥ずかしがる人も多かったしさ。今は形とかがぴったり合ってないと格好が悪いから、外国製を注文する女の子も多いよ。ねえ、でもどうしてそんなことを訊《き》くの」

いやなんでもないと適当にごまかして電話を切った。

そういうことだったか。大きな胸への関心が強くなったのは男だけではないのだ。女性だって関心を持つようになったのだ。みんなオッパイが好きなのだ。

そこでふと思った。

なぜみんな、特に男は大きなオッパイが好きなのだろう。見ただけで揉みたくなるのだろう。吸いたくなるのだろう。

「男はみんなマザコンだからよ。赤ん坊みたいにママのオッパイをほしがるのよ」そういった女性がいた。本当にそうなのだろうか。

4

「マザコン説もたしかにあるが、有力じゃないな」タムラがいった。

薬をもらいに来たついでに、例の根源的な問いかけをしてみたのである。

「じゃあ有力な説というのはどんなのだ」

「どれが有力かは断言しにくいが、俺《おれ》はネオテニー説を取りたいね」

「なんだそれ」

「幼形成熟ともいわれる。動物が成体になる前に生殖を行う現象だ。オタマジャクシが生殖活動を行うという感じかな」

「そんなことがあるのか」

「メキシコサンショウウオが有名だな。こいつの幼生は生殖を行う」

「ふうん。で、それが巨乳とどう関係するんだ」

「我々人間の進化にネオテニーが関わっているという説がある。というのは、人間は大人になっても、医学的に類人猿の幼期の特徴を多く残しているというんだ。顔に毛がないことなんかもその一つらしい。つまり類人猿の子供が大人になりきる前にセックスして子供を作り、その繰り返しによって、今の人間へと進化していったというわけだ。これで俺が何をいいたいのかわかってきただろ」

「我々人間の中には、永久に赤ん坊の要素が残っているということか」

「まさにそのとおり。赤ん坊だから母乳をほしがるのは当然だ。そして母乳が出るオッパイというのは、当然のことながら大きい」

「そういうことだったか」私は腕組みし、唸《うな》った。我々が巨乳を求める心理の背景に、それほど壮大な経緯があったとは夢にも思わなかった。

「まあ、有力な説の一つにすぎんのだがね。それにしても、君はそんなに巨乳のことを突き詰めて考えて、よく無事だったな。心臓発作とか起きなかったのか」

「うん、なんでもなかった」

そういえば巨乳のことを考えてもいけないといわれていたのだった。

「もしかすると症状が好転しているのかもしれないな。よし、薬はしばらくやめよう。それで経過を見ることにしよう」

「大丈夫かな。また管理人の禿頭が巨乳に見えたりしないかな」

「もしそうなったら、急いでここへ来ればいい。でも、たぶん平気だと思うよ」

「それならいいんだけどな。で、あっちのほうはどうなんだ。巨乳のことを考えても平気だということは、見るのも大丈夫なのか」

「それはまだ何ともいえない。何しろ、巨乳を見るというのは、刺激が強すぎるからな。念のために、もうしばらく我慢しろ」

それが辛《つら》いんだよなと思いながら私は頷《うなず》いた。

病院を出た後、私は下を向いて歩き始めた。このところ、外を歩く時はずっとそうしている。顔を上げていたら、こっちが見ようとしなくても、巨乳の女性が目に飛び込んでくるおそれがあるからだ。

しかし下を向きっぱなしだと危険なのも事実だ。案の定、人通りの多いところで、誰かとぶつかってしまった。何かの落ちる音がした。

「あっ、失礼」俯《うつむ》いたまま謝った。

「ごめんなさい」相手は女性のようだ。

足元にバッグが転がっていた。私はそれを拾い上げ、相手を見ずに渡そうとした。ところが相手もバッグを拾おうとしゃがみこんでいたため、思ったよりも低い位置に胸があった。彼女はスーツ姿で、その下に胸のあいたインナーを着ていた。その胸元がもろに目に入ってしまった。しかもかなりの巨乳だった。

どきどきした。発作が出てしまうと覚悟した。

「ありがとうございます」相手の女性はにっこり笑って礼をいい、そのまま立ち去った。

彼女の後ろ姿を見送りながら私は自分の胸を押さえていた。今にも発作が始まると思ったのだ。だが次第に心臓の鼓動は平静を取り戻していった。頭がくらくらすることもなかった。

私は深呼吸した後で周りを見た。また一人、胸の大きな女性がやってきた。その彼女を見ても発作は起きなかった。

やったぞ、病気を克服したぞ――。

晴れ晴れとした気分になり、私は顔を上げて歩きだした。鼻歌も出てきた。これでようやくまともな生活に戻れると思った。

前から女性が三人並んで歩いてきた。三人とも見事な巨乳だった。彼女たちを見ても発作は起きなかった。本屋の女性店員も、喫茶店から出てきた女性客も、信号待ちしているOLも巨乳だったが、彼女たちを見ても私の身体に異変は起きなかった。

巨乳の婦人警官が違法駐車を取り締まっているのを見て、ちょっと変だなと思い始めた。いくらなんでも巨乳が多すぎるのだ。タムラのところを出て以来、巨乳でない女性を一人も見ていない。

行列が出来ることで有名なケーキ屋があった。今日もそこには多くの若い女性が並んでいた。私はその行列を眺めながら歩いた。

全員が巨乳だった。

5

幻覚作用が違う方向に出たのだろう、というのがタムラの分析だった。巨乳を見たいという願望は依然として残っているが、薬で抑えられているうちに、常識的な範囲で落ち着いたというわけだ。禿頭が巨乳に見えることはないが、女性の胸はすべて巨乳だと思ってしまうのだ。

「どうする？　もうしばらく薬を使ってみるかい」

タムラはそう訊いたが、私は断った。たとえ幻覚であろうとも、周りが巨乳だらけという状況は天国みたいなものである。

以前とは正反対で、外出するのが楽しくて仕方がない。喫茶店に入ればウェイトレスが巨乳である。斜め向かいに座った女性客のオッパイもでかく、隣でぺちゃくちゃしゃべっている女子高生たちの胸も、制服のボタンがとびそうなほど膨らんでいる。

もちろん家でテレビを見ていても楽しさ倍増だ。貧乳で有名だった女性タレントまでもが、グラビアクイーンばりの爆乳なのだ。

「どうしたの、最近、ずいぶん機嫌がいいけど」知り合いの編集者がいった。

「いやあまあ、いろいろあってねえ」

「なんだよ、気味が悪いなあ」

我々は六本木のキャバクラに来ていた。女の子たちが我々を囲んでいる。誰もが見事な巨乳の持ち主だった。別にそういう娘《こ》だけを集めた店ではないのだが、私にとってだけはそうなのだ。

常に幸せな気分でいると何事もうまくいくらしく、このところずっと仕事も順調だった。おまけにガールフレンドも出来た。いうまでもなく彼女も巨乳である。まだ肉体関係はないが、今度の休みには私の部屋に遊びに来てくれることになっている。その時には彼女の裸を見られるだろう。

酔いが回ってくると舌も滑らかになる。隣に座った女の子の胸を見て私はいった。

「いやあ、しかし君はなかなかのオッパイだねえ。谷間がすごいじゃないか」

女の子がちょっと不快そうな顔をした。編集者がげらげら笑った。

「それはちょっと皮肉がきつすぎるんじゃないの」

「皮肉なんかじゃないよ。思わず触りたくなっちゃうよ」そういって私は女の子の胸を指先で突いた。

その瞬間、大きかった胸が、ぷすっと空気が抜けたように縮んだ。

「ありゃ、何だ……」

ひどーい、といって女の子は胸を両手で覆った。巨乳どころか、Bカップも怪しいと思えるほど薄い胸だった。

翌日、ガールフレンドがやってきた。彼女は私のために料理を作ってくれた。エプロン姿がよく似合っていた。その胸は当然膨らんでいる。

手料理を味わいながらワインを飲み、我々は少し酔った。ソファに移った後もいい感じだった。彼女が私にしなだれかかってきた。胸の谷間がすぐ目の前にあった。

彼女がそれなりの覚悟をしていることは、十分にわかった。ついに巨乳に触れることができるのだ。

しかし触れた途端に幻覚は消える。もし彼女が本物の巨乳でなかったら、夢の時間もそれで終わるのだ。

それでも私は彼女を好きでいられるだろうか。

触れなければ彼女は巨乳のままだ。これからも目で楽しむことはできる。だがそんなことを永久に続けることなど無理だ。

私は意を決して、彼女の胸元へと手を伸ばしていった。指先が白い肌に触れようとする直前、その手を彼女に摑まれた。

「ねえ、あたしと結婚してくれる？」上目遣いで訊いてきた。

「えっ、結婚？」

「いい加減な気持ちで付き合いたくないの。もう若くないから」

「それは――」

かつて妻の胸が小さいことを理由に離婚を申し立てた男がいたことを思い出した。

「ねえ、どうなの？」彼女が催促してきた。

私は唸った。その答えはとりあえず胸に触ってから、といったら嫌われるだろうな、やっぱり。

インポグラ

1

相談したいことがあるというので、会社の帰りに立田《たつた》の研究室に寄ることにした。立田は大学の薬学部で助教授を務めている。おれとは高校が一緒で、何となくウマが合うので、四十過ぎになった今でも付き合いがある。

大学の研究室に行くと、立田がいつもの白衣姿で待っていた。

「わざわざ呼び出してすまなかったな」立田はおれの顔を見ていった。

「それはいいけど、相談というのは何だ。金のことならほかの人間に当たってくれ」

「金のことじゃない。いや、ある意味、金のことかもしれないな。でも心配しないでくれ。君から金を借りようとは思っていない。借りたいのは知恵のほうだ」

「知恵？」

「これを見てくれ」

そういって立田はおれの前に小さな瓶《びん》を置いた。そこにはピンク色の錠剤らしきものが入っている。

「何だい、これは。薬みたいだけど」おれは瓶を手にした。

「薬だよ。いや、まだ薬といえるかどうかはわからんな。どちらにしても、最近開発したものだ。画期的なものであることは保証する。世界の誰《だれ》も作ったことがない代物だ」

淡々と語る立田の顔を、おれは眺めた。

「世界初のものを作ったというわりには、あまり嬉《うれ》しそうじゃないな。一体これは何に効くものなんだ」

すると彼は眉間《みけん》に皺《しわ》を寄せ、おれの手の中にある瓶を見つめた。

「さあて、何に効くといえばいいのかな」

「おいおい、それがわからないのに、世界初とか画期的とかいってる場合じゃないだろ。ふざけてるのか」おれは瓶を置いた。真面目《まじめ》な相談事ではないのかなと思った。

「冗談をいってるわけじゃない。それがわからないから君を呼んだんだ。もったいをつけても仕方がないから結論をいおう。それは男性の下半身に作用する化学物質だ」

「下半身？　というと、あっちのほうか」おれは身を乗り出した。急に興味がわいてきた。

「あっちのほうだ」立田は無表情で答えた。

「ははあ、なるほど」おれは膝《ひざ》を叩《たた》いた。しかしすぐに首を傾《かし》げた。「でも、あっちの関係の薬なら、相当いいものがすでに開発されている。おかげで不能が治って、夫婦関係が復活したなんて話をよく聞くぜ。ということは、そういう薬ではないのか」

「そういう薬じゃない」立田は首を振った。「強いていえば、その逆だ」

「逆？」

「うん。こいつを飲めば――」立田は瓶に手を伸ばした。「勃《た》たなくなる」

「えっ？」

「実験の結果では、一錠飲めば、二十四時間は何があっても勃起《ぼっき》しない。どんなに元気な男でも、ぴくりともしない。いわばインポテンツになる。そういう物質だ」

「ちょっと待ってくれ」おれは両手を広げて前に出した。「訊《き》いていいか」

「何だい」

「おれの聞き間違いでなければ、おまえは今こういう意味のことをいったぞ。これはインポテンツの治療薬ではなく、インポテンツにする薬だ、と」

立田は頷《うなず》いた。

「聞き間違いじゃない。それでちゃんと意図は伝わっている。これはインポテンツ誘発剤だ。我々の間ではインポグラと呼んでいる。ひとつ飲んでみるかい」

「いらない」おれは手を振った。「何のためにこんなものを作ったんだ」

「作ろうとして出来たわけじゃない。たまたま出来たんだ。本当は強力な発毛剤を作るつもりだった」

おれは頷き、彼の頭を見た。四十過ぎて間がないというのに、かなり寂しくなっている。

「ははあ。するとこういうことか。これを飲むとインポになるが、代わりに髪がふさふさ生えてくるんだな」

だが立田はかぶりを振った。

「生えない。発毛にはまるで効果がない。ただ、インポになるだけだ」

「へえ……」おれは腕組みをし、彼の顔を見つめた。「もう一つ訊いていいか」

「何だい」

「これが一体何の役に立つんだ」

「そこだよ」立田は身を乗り出してきた。真剣な目をこちらに向けた。「こんなものが何の役に立つか、それを君に考えてほしいんだ」

2

おれは広告代理店に勤める広告プランナーだ。だからどんなものでも売る。売るためには何でもする。誇大広告と非難されなければどんな手でも——いや、少しぐらいの非難は屁《へ》とも思っちゃいない。

しかしそんなおれでも、立田の頼みには頭を抱えた。

「特許は申請済みだし、臨床実験の結果も良好だ。今のところ副作用もない。ところが契約してくれる製薬会社がなくて弱っている。そんな薬を売り出したところで誰が買うものかと馬鹿にされるだけだ」

彼の話に、そうだろうなとおれは納得した。

とりあえず検討してみるといって、その日は別れた。

家に帰り、妻にインポグラの話をしてみた。どうせはなから役に立たないと決めつけるだろうと思っていたが、反応は少し違った。

「ふうーん、そんな薬があるの。面白いじゃない」

「面白いかい?」

「レイプ犯なんか、刑務所に入れるかわりに、その薬を一生飲み続けなければならないようにすればいいのよ。きっと死ぬより辛《つら》いわよ」

「なるほど」

女はやはり男とは発想が違うのだなと感心した。

「ほかにもいろいろと使い道はあると思うわよ」

「たとえば？」

「それは……今すぐには思いつかないけどさ。アンケートでもとってみれば」

「そうか、その手があるな」

翌日、おれは会社のパソコンでインターネットの掲示板に、インポになる薬があればほしいと思う人はメールをくれ、という書き込みを行った。返事なんてこないだろうと思っていたら、すぐにメールが届いたのでびっくりした。

『僕は醜男《ぶおとこ》で、おまけに人付き合いが苦手な二十代男性です。そんな薬があるならぜひください。この先、女性と付き合うなんてことはありえないし、たぶんセックスをする機会もないでしょう。それなのにペニスだけは元気で、オナニーをするたびに虚《むな》しさを感じてしまいます。どうせならインポになってしまいたいです。そうして、人生とは何かということだけを考えて、静かに生涯を終わりたいです。』

内容のあまりの暗さに二度びっくりした。なんという後ろ向きな考え方だ。こんなやつにインポグラを与えてはならない。大体、オナニーをするたびに虚しさを感じるのは、男なら誰だってそうだ。それに、勃起なしに人生の何たるかなどわかるはずがない。

メールがもう一通届いた。こんな内容だ。

『その薬、あるなら俺《おれ》にくれ。もうすぐクリスマスが近い。彼女との素敵な夜を楽しみにしている男も多いだろう。そんなやつらにこっそり飲ませてやるのだ。ひひひひ。』

おれはパソコンを切った。即座にメールを寄越してきたということは、四六時中パソコンと睨《にら》めっこをしているネットおたくたちだ。あまりノーマルな回答は期待できない。

「何やってるんだい」隣の玉岡《たまおか》が話しかけてきた。時々ペアを組んで仕事をする相手で、信頼できる男だ。

おれはインポグラのことを話した。すると玉岡の目の色が変わった。

「その薬、少し譲ってもらえないか」

「えっ、おまえが飲むのか」

「おれじゃない。息子に飲ませるんだ」

玉岡によれば、中学三年になる彼の息子が、オナニーばかりして受験勉強に身が入ってない様子だということだった。

「女房が息子の部屋で大量のエロ本を見つけた。本人に注意するのもかわいそうだし、どうしようかと困っていたところなんだ。ほかの時はともかく、これから勉強って時には、勃起なんかしないほうがいいと思ってね」

玉岡の話には一理あると思った。おれも受験生時代には、勉強からの逃避を兼ねてオナニーにはげんだものだ。

立田から貰《もら》っていたインポグラを三錠だけ渡し、結果を教えてくれと玉岡に頼んだ。

それから二日後、玉岡は浮かない顔でおれのところにやってきた。

「あれはだめだ。逆効果だった」

「うまくいかなかったのか」

「いや、ビタミン剤だと偽って飲ませたんだが、薬の効き目はばっちりのようだ。ところがそれが裏目に出た」

「どういうことだ」

「オナニーはしていないようだ。ところがいつまでもだらだらしていて、ちっとも勉強に身が入らなくなってしまった。どうやら息子は気分転換にオナニーをしていたらしい」

「なるほどなあ。それはおれにも心当たりがあるぞ」

「そうなんだ。若い頃《ころ》は適度にオナニーをしたほうがいいってことを思い出した。もう飲ませるのはやめるよ」

「それがいいだろうな。じゃあ、あの薬はやっぱり役立たずか」

「それが、あの薬に興味を持った人間がいるんだ」

玉岡によると、その人物とはうちの取引先の会社の社長夫人らしい。昨日、パーティ会場で会った時、うっかりインポグラのことをしゃべってしまったという。

「笑い話のつもりだったが、えらく関心があるようなんだ。いくらでも出すから売ってくれといわれた」

「本当かい、それ」

「とにかく今日これから会うことになっている。おまえ、一緒に来てくれるだろうな」

もちろんだ、というわけで、おれたちは待ち合わせ場所に向かった。

3

その社長夫人のことはおれもよく知っている。ついこの間までは銀座でホステスをしていたのだ。七十近い社長とは四十歳以上離れている。結婚したと聞いた時には、財産目当てだな、と誰もが思ったものだ。

「はっきりいって財産目当てで結婚したのよね」おれたちに会うなり、若夫人はあっけらかんといった。派手な化粧も、露出度の高い服装も、以前のままだった。

はははあそうですか、とおれたちは相槌《あいづち》をうつしかない。

「夜のほうは不能だって聞いてたから、それならまあいいかと思ったわけ。ところがあの爺《じい》さん、最近になって病院に通いだしたのよね。今、インポを治す薬っていろいろあるじゃない。あれを処方してもらえそうな雰囲気なの。そんなことになったら大変よ。あんなのとセックスしなきゃならない」

「でも夫婦ですから」玉岡がやんわりいう。

夫人は目をつり上げた。

「あんたさっきから何を聞いてたの？　あたしは財産が目的で結婚したといってるでしょ。あんな爺さんとセックスする気なんてこれっぽっちもないの。あの歳《とし》で、ぴんぴんになられたら困るのよ。だからあんたに薬のことを頼んだんじゃないの。つべこべいってないで、その薬を売ってちょうだい。お金なら出すわよ」そういって夫人はシャネルのバッグの中から、分厚い札束を出してきた。

おれは手持ちの薬を全部渡して夫人と別れた。玉岡と顔を見合わせ苦笑した。

「驚いたなあ。インポグラにあんな使い方があったとは。女ってのは怖いねえ」玉岡が感心とおびえの混じった声でいった。

「女房としては旦那《だんな》が役立たずになるのは由々しき問題だと思ってたんだけど、例外もあるんだな。勉強になったよ」

「だけどあくまでも例外だ。金目当てで結婚してる女ばかりじゃないからなあ」

「そうだな。とにかくまともな女房なら、インポグラなんてほしがるはずがない」

だがそんな考えも、帰宅するなり吹っ飛んでしまった。妻がおれの顔を見るなりいった。

「あなた、インポグラをちょうだい」

「なんだ、いきなり」

「重大事件発生なの。どうしてもあの薬が必要なのよ。彼女の力になってやって」

リビングルームに一人の女性がいた。妻によれば、友達でサキコというらしい。

「サキコの旦那ね、どうやら外に女を作ってるらしいのよ。付き合いだとかいって帰りが遅くなることが多いんだけど、本当はその女と会ってるんだって。旦那より二十歳も下の小娘よ。どう思う？」

四十歳以上離れた男と金目当てで結婚した女と会った直後だけに、ちっとも驚かなかったが、「それは大変だねえ」と話を合わせておいた。

「あたしは離婚したらいいといってるんだけど、子供のこともあるし、サキコは別れたくないんだって。何とか相手の女と別れさせられないかって相談にきたのよ」

「すみません、お騒がせして」サキコは申し訳なさそうに頭を下げた。

「いえ、うちは構いませんが……で、どうしてあの薬が必要なんだ？」妻に訊いた。

「鈍いわねえ。浮気しそうな時を見計らって、あの薬をこっそり旦那に飲ませちゃうのよ。

そうしたらどうなると思う？」

「どうなるって、そりゃあ勃たなくなるだろうな……あ、そうか」

目からウロコが落ちた。

「ねっ、いい考えでしょ。旦那がその若い女とエッチしようとしてもできないわけ。一回や二回なら、今日は疲れてるからなあ、とか言い訳ができるけど、毎回となれば洒落《しゃれ》にならないでしょ。そのうちに、なんだこのインポ親父《おやじ》ってことで、相手の女が離れていくに違いないわ」

「それは……いい考えだな」

同時に、恐ろしい考えだな、とも思った。

「わかった？　だからね、インポグラをちょうだい」妻は手を出してきた。

「待ってくれ。おれの手持ちは全部売っちまったんだ。明日、立田からもらってくるよ。でも、無料というわけにはいかないんだけどな」

「おいくらでしょう？」サキコが顔を上げておれを見た。「その薬、いくらで譲っていただけるんでしょうか」

「いやあそれは、薬を作ってるやつと相談して決めますが……」

サキコの目は真剣そのものだった。それを見ながら、こいつは新しいビジネスチャンスだぞとおれは考えていた。

4

『旦那さんの浮気でお悩みの方に朗報！

画期的な浮気防止薬が開発されました。どんなにこじれた仲も、当社に御相談いただければ、たちどころに解決してみせます！　インポグラ研究所』

おれと立田はバーで祝杯をあげていた。

「君に相談してよかったよ。さすがは広告マンだ。こんな商売が成り立つとは思わなかったもんなあ」

「いやあ、おれもこれほど反響があるとは予想してなかった。とにかく、薬をばんばん作ってくれよ」

「わかってるけど、実験室では限界がある。大量生産できるシステムを至急作らないと」

「ぜひ作ってくれ。金のことは心配するな」おれは胸を叩いた。

インポグラを男の浮気防止に使用するという手は図に当たった。インターネットで広告をうったところ、注文が殺到したのだ。立田のところには製薬会社からの問い合わせもきているらしい。

「例の女房の友達も、インポ作戦が功を奏して、見事に旦那を取り戻したってさ。まあ取り戻したというより、旦那のほうが愛人から愛想を尽かされたわけだがな」

妻の話によれば、サキコの旦那はすっかりおとなしくなってしまい、今では家に早く帰ってくるそうだ。

「でもインポグラのことが有名になったら、旦那たちもいずれ知るだろう。その薬を飲まされないように注意するんじゃないかな。そうなれば、こっそり飲ませる方法を考えなきゃならないから、奥さんたちも大変だな」立田がいった。

「ところがそうじゃないんだ。話は逆なんだ」

たとえばサキコのところでは、飲み会などで旦那の帰りが遅くなりそうな時、家を出る前に薬を飲ませるのだが、その際にごまかしたりしないらしい。はっきりと、これはインポグラだといって渡すのだそうだ。

「旦那としては拒否するわけにはいかないんだ。だって外で勃起する必要なんかないはずだからな。拒否できるケースといえば、たった一つしかない」おれは人差し指を立てていった。「それは、今夜おまえを抱くからな、という時だけだ」

「なるほど」立田は大きく頷いた。「つまり拒否するかぎりは、その夜に奥さんをかわいがってやらなきゃならないわけか」

「そういうことさ。インポグラは亭主の勃起をコントロールする魔法薬でもあるわけだ」

「それなら注文が殺到するのも当然か」

おれたちはもう一度乾杯した。

5

ところが喜んでいられたのも束《つか》の間《ま》だった。ある時期から、急激に注文が減り始めたのだ。インポグラそのものに問題があるとは思えなかった。

「わからない。インポグラの効果は二十四時間しか保《も》たないから、亭主の浮気を防止するには、薬を買い続けるしかないはずなんだが……」立田も首を捻《ひね》るばかりだ。

「類似品でも出てるのかな」

「それは僕も考えてみたが、そういうものが販売されているという情報はない。契約を結んだ製薬会社でも不思議がっていて、生産計画を見合わせているところだ」

「おかしいな。とにかくもう少し分析してみるよ」

おれは会社に行くと玉岡に相談してみた。インポグラが売れてないという話に、彼は意外そうな顔をした。

「えっ、そうなのかい。おれの周りじゃ、彼氏や亭主の浮気防止のためにインポグラを使ってるって話を結構聞くぜ。というより」彼は声をひそめた。「うちの女房が買っている」

おれはびっくりして玉岡の顔を見返した。「本当か」

「まったくもう、参ったよ」玉岡は苦い顔をした。「ソープに行ったことがばれちまってさあ、得意先の接待がある時には、朝に必ずインポグラを飲まされている。おまえの友達も迷惑な薬を作ってくれたもんだ。おかげでお得意さんがソープで楽しんでる間、マンガ喫茶で時間を潰《つぶ》すというみじめさだ」

それは気の毒にと思ったが、同情している場合ではなかった。こんなふうに身近なところにユーザーがいるぐらいだから、インポグラのニーズは落ちていないはずだ。それなのになぜ注文が減っているのか。

おれは悩みを抱えたまま会社を出た。こういう日は気分転換が必要だ。携帯電話を取り出し、ある番号にかけた。相手はすぐに出た。

「はーい、こんにちは」モモコのかわいい声が聞こえた。

「おれだよ。食事でもしないか」

「いいよー」

待ち合わせ場所を決め、電話をきった。モモコは六本木で働いているキャバクラ嬢だ。モデルの卵だが、それだけでは食っていけないのでアルバイトをしている。何かの広告の仕事で使ってやったことから親しくなった。

モモコと会うと、おれたちはレストランに向かった。イタリア料理を食いながら、おれはインポグラのことを話した。彼女もあの薬のことは知っていた。

「あの薬のせいでさあ、あたしの友達が何人も、愛人契約を解消されてんのよね。オヤジたちがおとなしくなったのは助かるけど、困ってる子も多いよ」

「愛人側としちゃあ、男が真面目になるのは死活問題というわけか」

「セックスができないオヤジに、愛人はいらないもんね」

「なるほど」

インポグラは、おれたちの知らないところで、男女間に様々な影響を与えているらしい。となると、注文の減っていることがますます不思議だ。

「あなたは大丈夫なの？　奥さんにインポグラを飲まされたりしてない？」

「おれは平気だよ。うまく隠してるからな」にやりと笑ってワインを飲んだ。

食事を終えると、おれたちはいつものようにモモコのマンションへ行った。ワンルームだが、なかなか広々とした部屋だ。

彼女がシャワーを浴びるのを待っていると、携帯電話が鳴りだした。妻からだった。おれはあわててベランダに出た。

「もしもし、おれだ」

「ああ、あなた。今朝方《けさがた》、ちょっといい忘れたことがあって」

「なんだ」

「あなた今朝、コーヒーを飲んだでしょ」

「飲んだけど、それがどうした」

「あのコーヒーね」妻は一拍置いてからいった。「インポグラ入りだから」

「えっ……」おれは携帯電話を落としそうになった。「インポグラ入りって……どうしてまた、そんなことに……」

「そりゃあ、あたしだって心配だもの。あなたが浮気をしないっていう保証はないでしょ」

「ななな、何を馬鹿なことをいってるんだ。おれがそんなことするはずないじゃないか。ははは。はははは」

「別に疑ってるわけじゃないけど、まあ念のためってやつ。だから今日一日、勃起しないと思うけど、心配しなくていいからね。インポになったわけじゃないから」

「そそ、そうか。そういえば、今日は全然そんな気配がなかったな。忙しかったんで、考えることもなかったが」

「じゃ、そういうことだから」妻は一方的に電話を切った。

おれは携帯電話を持ったまま立ち尽くしていた。その視線を自分の下腹部に向けた。

部屋に入るとモモコがバスルームから出てきたところだった。肉付きのいい身体《からだ》にタオルを巻いただけの格好だ。いつものおれなら、彼女のそんな姿を見ただけでも欲情するはずだった。

「どうしたの？　ぼんやりしちゃってえ」モモコがおれに身体をすりよせてきた。

しかしおれの下半身に変化はない。ぴくりともしない。

「すまん、今日は帰るわ」おれはいった。

「えっ、どうしたの？」

「ちょっと用を思い出したんだ。また今度な」そういうと、そそくさと部屋を出た。

マンションの前でタクシーを拾った。思わずため息が出た。

これまで他人にインポグラを紹介してきたが、自分で飲んだことはなかった。いやはや、すごい効き目だ。これじゃあ浮気なんてとてもできない。

それにしても妻はいつインポグラを入手したのか。注文するにはインターネットを使わねばならないが、彼女はパソコンなど扱えないはずだ。それともサキコから譲ってもらったのか。

首を捻った時、またしても携帯電話が鳴った。今度は立田からだった。

「わかったよ、インポグラの注文が減った理由が」彼はいった。

「何だった」

「ネット上の、『節約生活』というサイトにその答えがあった。そこにこう書いてある。『今話題のインポグラですが、たくさん買う必要はありません。最初のうちは本物のインポグラを飲ませて、いずれはメリケン粉を固め、食紅で色づけしたものを、インポグラよといって御主人に飲ませれば、同様の効果があります。試してみてください。』どうだい、わかったか」

「何だって、すると主婦たちが偽のインポグラを作っているということか」

「どうやらそうらしい。インポグラを飲んだと思い込ませることで男の勃起機能を阻害しようというわけだ。いわゆるプラシーボ効果を利用しているんだ」

おれは唸《うな》った。節約のためとはいえ、そんなことまで考えだすとは――。

「それだけじゃない。主婦たちは様々なバリエーションを考案している。最もすごいのは、何の手間も金もかからない方法だ。これは、旦那が飲食した後で、今の食べ物の中にインポグラを入れておいた、というだけらしい」

「えっ」

「そんなはったりにどこまで効果があるのかわからんが、とにかくインポグラにとっては危機的状況だ。薬の名前と効果が社会的に認知されたことで、インポグラそのものが不必要になるなんて、全く皮肉な話だよ。これから製薬会社の人間と対応策を相談する」

「そうか……じゃあ、よろしく頼む」

電話をきった後、おれは再び自分の股間《こかん》に目をやった。

なんてことだ。妻のさっきの電話は、立田のいうプラシーボ効果を狙《ねら》ったものに違いない。おれの浮気に感づいていて、絶妙のタイミングで電話をかけてきやがったのだ。

おれは運転手にUターンを命じようとした。インポグラを飲まされていないのなら、モモコと楽しい夜を過ごすことができる。

しかし声をかける直前で、おれは言葉を呑《の》み込んだ。

本当だろうか。本当に妻の台詞《せりふ》は単なる三味線で、実際にはおれはインポグラを飲んでいないのだろうか。

もし飲まされていたら大変だ。モモコの前で大恥をかくことになる。下手《へた》をしたら嫌われてしまうかもしれない。

おれは運転手にばれぬよう、こっそりと自分の股間を撫《な》でてみた。もしここで勃起するなら大丈夫だ。

だがおれの一物は縮んだままだった。勃起する気配さえ感じられない。何とか勃たせようと焦れば焦るほど、股間に力が入らなくなる。インポテンツ患者の大半が、勃たなかったらどうしようという強迫観念からそうなっているという話を聞いたことがある。おれはそのことを思い出した。

おれは股間から手を離した。もはや、薬のせいなのか、プラシーボ効果なのかわからなくなってしまった。はっきりしているのは、今夜モモコを抱くことは諦《あきら》めたほうがいいということだけだ。

おれはもう一度深々とため息をついた。はったりにどこまで効果があるかはわからない、と立田はいった。しかし、おれにいわせれば効果は絶大だ。

男ってのはまったく、脆《もろ》い生き物だなあ。

みえすぎ

1

朝、起きてみると、周囲がやけに霞《かす》んで見えた。まるで靄《もや》がかかっているようだ。目をこすってみたが、状況は変わらない。もしや目の病気にでもなってしまったかと思い、瞬《まばた》きを繰り返しているうちに妙なことに気がついた。

霞みは一様ではなく、空中に何かが漂っている感じなのだ。非常に色の薄い煙、と表現すればわかってもらえるだろうか。

俺《おれ》はあわててベッドから跳ね起きた。その途端、何か白いものが舞い上がった。それは一瞬にして俺の身体《からだ》を包んだ。

「うわっ、火事だ」

パジャマのまま四つん這《ば》いになり、部屋を出た。同時に鼻をひくつかせる。どこで火が出た？　何が燃えている？

だが焦げ臭さは全くなかった。燃えているのは俺の部屋ではないのか。ほかの部屋か。

それで煙だけが先に漂ってきているのか。だとしても、危険であることに変わりはない。俺の部屋は十階建てマンションの七階に位置している。下手《へた》をすれば逃げ遅れてしまう。昔見た、『タワーリング・インフェルノ』という映画を思い出した。単なる小火《ぼや》だと安心しているうちに、超高層ビルに閉じこめられた人々は次々に死んでいった。

靄が幾分薄くなったようなので、俺は立ち上がりキッチンへ行ってみた。やはり火の気など全くなかった。そもそも独り暮らしの俺は、めったにここで火を使わない。湯を沸かすのも電気ポットだ。

外の様子を見ようと思い、俺は玄関へ行った。靴を履こうと足を出した時、次なる異変に気づいた。黒い革靴に、うっすらと埃《ほこり》がついている。妙だなと思った。この靴は昨日おろしたばかりなのだ。

靴を動かした瞬間、ぼわっと何かが立ちのぼった。湯気のようなものだ。さっきベッドから起きた時に舞い上がったものと似ている。どうやら埃らしいが、少しおかしい。これだけの埃ならば、息を吸った瞬間にむせてしまうはずだが、全く違和感がないのだ。

俺は玄関から出てみた。廊下の空気も少し靄がかかっていた。しかし誰《だれ》も騒いでいる様子はない。今日は日曜日だから、マンション中の住民が誰一人いないとは考えられない。火事ならば、大騒ぎになっているはずだ。

エレベータに乗り、一階に下りてみることにした。すると六階から女が乗ってきた。白い猫を抱いた、白いセーターを着た中年女だ。このマンションはペットを飼ってもいいことになっているのだ。女はパジャマに革靴という出《い》で立ちの俺を見て、気味悪そうな顔をした。

だが気味悪いのは俺も同じだった。何しろ女が抱いている猫からは、始終何かが放散されていたからだ。女が猫を動かすたびに、その量は増えるようだった。凝視すると、それは猫毛のようだった。抜けた無数の毛が、猫の全身を覆っているのだ。それは静電気の力で辛うじて猫から離れずにいるようだが、何かの拍子に飛び散るらしい。俺はエレベータの壁に張り付き、なるべく猫に近づかないようにした。

一階に下り、マンションの中からガラス越しに外を眺めてみたが、特に変わった様子はなさそうだった。歩道を若者たちが歩いていく。

俺は外に出てみた。二月の寒空にパジャマ姿では、さすがに皮膚が痛いほどだった。だがその寒さも、目の前に広がる光景によって吹っ飛んだ。

周辺が濃い灰色の霧に包まれていた。霧は道路上を漂い、ビルの外壁を伝い、周りの建物を呑《の》み込んでいた。風が吹くと霧は大きく揺らいだ。

数台の車が、すぐ前の道路を通過していった。それらの車はすべて、何か大きな固まりを引きずっていた。よく見るとそれは固まりではなく煙だった。ＳＬの煙突のように、排気管からぼうぼうと煙を吐き出しているのだ。周囲に充満している煙の正体は、どうやらこれのようだった。

いったいどうしたことだ、どの車もエンジンが壊れちまったのか――。

まさかそんなことがあるはずがなかった。しかも不思議なことに、道行く人々はこの状況を一向に気にしていないようだった。

「どうしました、そんな格好で」後ろから声をかけられた。

振り返ると管理人がマンションの前を掃除しているところだった。ところが彼が箒《ほうき》を動かすたび、大量の埃が舞い上がり、彼の身体に降り注いでいた。それでも彼はにこにこ笑いながら箒を動かした。

「何してるんですか」と俺は訊《き》いた。

「何してるって、掃除ですよ。玄関は奇麗なほうが気持ちいいでしょ」そういって管理人は煙草《たばこ》を取り出し、一本くわえて火をつけた。

次の瞬間、彼は巨大な煙の固まりを怪獣のように吐き出した。

2

「そうか。その症状がおまえに出てきたか。もう二十八歳だからな、そうかもしれん」

俺の話を一通り聞き終わると、親父《おやじ》は俺の顔を見てしみじみといった。こちらが深刻な思いで打ち明けたというのに、やけにのんびりした口調だった。

親父は眼科医をしている。昨日からの突然の出来事に面食らった俺だったが、どうやら怪現象が見えているのは自分だけらしいと気づいて、親父の病院に相談しにきたのだ。

「症状って、やっぱり病気なのか」

「病気というのは当たらないかもしれんな。特異体質というか、まあ一種の超能力だと思えばいい。いずれおまえにも話さなきゃいかんと思っとったんだが、どうにも説明が難しくてな」

「というと、親父は俺がこんなふうになることを知ってたのか」

「いや、必ずなると予想していたわけじゃない。その体質は我が家の遺伝なんだが、何代かに一人現れるという程度のものなんだ。死んだ親父、つまりおまえのじいさんが、その能力を持っておった。私には、それは起きなかった」

じいさんのことはよく知らない。物心ついた時には死んでいたからだ。写真は残っているが、顔はわからない。どの写真を見ても、でかいマスクをつけた上に眼鏡《めがね》をかけているのだ。だからじいさんは目が悪く、いつも風邪《かぜ》をひいていたのかなと思っていた。

一体どういうことなんだ、と俺は訊いてみた。

「一言でいうと、ふつうの人には見えないほどの細かい粒子でも、おまえにだけは見えるということだ。周りが霞んで見えるのは、空気中に漂っている様々な粉塵《ふんじん》のせいだろう。ベッドから跳ね起きた時、白い靄が発生したといったな。それはいわゆるハウスダストというやつだ。車の排気ガスも結局は粒子の集まりだから、おまえの目には煙のように映ったんだろう」

「煙草の煙が、雲を吐き出しているように見える」

「そうだろうな」太く短い首を親父は折った。「ふつうの人間には、煙が吐き出された直後の、粒子が密な状態の時しか見えない。ところがおまえには、煙がかなり薄まった状態でも見えているということだ」

「なんでそんなことになるんだ」

「詳しいことはよくわからん。じつは私が眼科の医者になったのも、それを研究しようと思い立ったことがきっかけだった。どうやら光以外のものを感知しているらしいということまではわかったがな。たぶん電磁波の一種だろう。それぞれの粒子が発している電磁波をキャッチして、あたかも見えてるのと同じ感覚が生じているんだ」

文科系の俺にとっては、電磁波という言葉も耳を素通りするだけだった。

「理屈はまあいいよ。とにかくこれをなんとかしてくれないか」

「なんとかというと？」

「元に戻してくれよ。こんなんじゃ生活しにくくてかなわない」

するとと親父はあっさりと首を横に振った。

「せっかくだが、どうにもならん。原因がわからんのだから、治療のしようがないんだ。まあ、宿命と思って諦《あきら》めることだ。さっきもいったが、病気というわけじゃない。じいさんも、これはこれで慣れれば面白いし、役に立つことも多いといっておった」

「そんな楽観的にいわないでくれ。変なものが見えて、不便でしょうがないんだ。眼医者なんだから、患者の頼みを聞いてくれよ」

「参ったなあ」親父は頭を掻《か》いた。その途端、白髪混じりの頭から、何かが空中に飛散した。フケと抜け毛らしい。

親父はぽんと手を叩《たた》いた。「じゃあ、眼鏡をかけてみることだな」

「眼鏡？」

「うん。その特殊な電磁波はガラスやプラスチックには遮られるらしい。つまり、そういったものを通しては、粒子を見ることはできないはずだ」

そういえばガラス越しに見える景色は、これまでのものと同じなのだった。

「何だよ、目が悪いわけでもないのに眼鏡をかけるのか」

「サングラスの一種と思えばいいじゃないか。じいさんもふだんは眼鏡をかけとった。いずれにせよ、私に一度精密検査をさせてくれ。くれぐれもほかの医者にかかるなよ。研究を横取りされちゃかなわんからな」

格好の研究材料を見つけたと思ったのか、親父はにやりと笑った。

勤務中に抜けてきたので、病院を出るとすぐに会社に戻ることにした。俺の会社は大手町にある。

もうもうと煙を吹き出しながら走るタクシーを止め、俺は乗り込んだ。残念ながら禁煙車ではなかったので、車内には前の客の煙草の煙が充満していた。それでも親父がいったとおりガラス越しに見る外の風景は、いつもと変わらぬものだった。

会社の中は空調と換気がきいているので、さすがに排気ガスによる汚染は少なかった。しかしだからといって空気が澄んでいるわけではなかった。人が歩くたびにフロアから薄い煙が舞い上がった。皆、その中を平気で歩いていた。昔の歌謡番組で、歌手の足元でドライアイスをたくというのがよくあったが、あれのようなものだ。

俺は受付カウンターへ行った。二人の受付嬢が並んで座っている。向かって左側が俺の恋人のユミだ。ユミは俺を見てにっこりした。その顔の周辺に薄いベージュ色の霞がかかっていた。右側の受付嬢も同様だ。ただし霞の色が少し違う。

「仕事中に化粧をしてただろ」俺は意地悪く口元を曲げていった。

「失礼ね。してないわよ」彼女はちょっとうろたえた。隣の同僚が下を向いた。

「ごまかしても無駄だぜ。ファウンデーションをはたいてたはずだ」

するとユミはさっと周囲を見回し、誰もいないことを確認してから顔を近づけてきた。

「見てたの?」

「いいや。だけどわかるんだ。それより、今夜食事でもどうだ」

「いいわよ」

「じゃあ、いつものところで七時」そういって俺はその場を離れた。

職場に戻ってみると、相変わらず、どんど焼きが続いていた。

いや、無論どんど焼きというのは比喩《ひゆ》だ。フロアの隅に、大量の煙を放出している区画があり、その状態が正月の門松や注連縄《しめなわ》などを焼く行事に似ているので、俺が勝手にそう呼んでいるだけだ。今朝《けさ》、これを初めて目にした時には腰を抜かしかけた。

どんど焼きの正体は喫煙所である。社内分煙が進んだせいで、どこの職場にも喫煙所が設けられることになった。一応換気口のすぐそばにあるのだが、喫煙者たちの吐き出す煙はそんなものでは処理しきれないらしい。オーバーフローした煙は、離れた席にも流れていく。嫌煙者たちが、喫煙所は職場の外に作ってくれと訴えている理由も、今の俺にはよくわかる。

席について仕事をしていると、向かい側のスズキキミコが紙コップを手に戻ってきた。コップからは湯気が出ている。その色を見て、中身が紅茶であることを俺は見抜いた。スズキキミコは部内随一の美人だ。もし俺にユミという恋人がいなかったなら、アタックしていたかもしれない。もっともキミコは身持ちが堅いことでも有名だ。

彼女は俺のほうには見向きもせずに仕事を始めた。俺は、おや、と思った。彼女もまた化粧を直してきた形跡があるからだ。しかも肩から首にかけて、ごくわずかだがブルーの靄が漂っている。何だろうと考えてみたが、よくわからなかった。

俺の視線に気づいたらしく、キミコは怪訝《けげん》そうな顔をした。「何か？」

「いや、何でもないよ」俺は目を伏せた。相変わらず美人だなと思ってさ、という軽口を叩きたいところだったが、その台詞《せりふ》も今ではセクハラの対象になる。

どんど焼きの中から、大入道が出てきた。それは人の形をしてはいるが、全身に黄褐色の煙をまとわりつかせているので、その輪郭は曖昧《あいまい》である。それでも歩くうちに煙は分散し、核になっていた人物の姿がはっきりとし始めた。うちの課長だった。

「おい、例のレポートはどうなった」課長は俺の姿を見るなり威圧的にいった。煙は概《おおむ》ね消失したようだが、本来グレーであるはずの背広が薄汚れた茶色に変わっていた。煙の粒子が付着したままなのだろう。顔や禿《は》げ上がった額もいつもより黄色い。頭皮や顔面のぎらついた皮脂と煙の粒子とがからみあっているらしい。

「今やってるところです」

「早くしろよ。明日の会議には絶対に必要なんだからな」課長はすぐそばの席に、どっかりと腰を下ろした。その直後、大きなくしゃみを一つした。俺は咄嗟《とっさ》に身をかわした。課長の口から、どぶ色の粒子が大量に放出されたからだ。中でも特に濃い色の塊《かたまり》は、どうやら痰《たん》の一部らしい。

課長の吐き出した唾液《だえき》と痰の粒子は、シャワーのように空中に飛散した。それらの大部分は、すぐ前にいたキミコの全身に降り注いだ。特に彼女が手にしている紙コップには、痰の粒子がいくつか飛び込んだ。しかし彼女は何も気づかぬ様子で、おいしそうにコップの中の紅茶を飲んでいた。

課長は自分が何をしたかもわからずに書類を眺めるふりなどをしていたが、俺の背後に目を向けた瞬間、突然立ち上がった。

俺の背後から現れたのはスタイリストということで有名な常務だった。

「今度の社内ゴルフコンペの幹事は君だったね。じつはちょっと都合が悪くなって、欠席にしてもらいたいんだが」

常務の言葉に課長は直立不動で答えている。背広も顔も黄褐色のままだった。

そして俺は常務の異変にも気づいていた。白っぽい上着の胸元に、淡いブルーの粒子が漂っていた。どうやらコロンのようだ。俺はキミコを見た。彼女の首筋にあるブルーの靄は、それと全く同じ色をしていた。そのキミコは、常務と課長のやりとりに耳をそばだてているように見える。常務のゴルフコンペ欠席の理由は、愛人と密《ひそ》かなデートを楽しむためかもしれない。

これはこれで慣れれば面白いし、役に立つことも多い——俺の能力について親父がいっていたことを思い出した。

3

うそーっ、えーっ、信じらんなーい、ほんとなのお——俺の話を聞き、ユミは幾種類かの驚嘆の声をあげた。俺たちはイタリアンレストランで食事をしていた。

「本当なんだ。俺もまさかこんなことになるなんて、夢にも思わなかったよ」

「へええ、不思議ねー」ユミは目をぱちくりさせた。彼女の首の周りには、薄いピンク色のガス体が土星の環《わ》のように浮かんでいる。その正体が香水であることに俺は気づいていた。デートの前に、ふりかけてきたらしい。

どうやら俺の特殊能力は次第に強くなっているようだ。今朝までは煙の粒子が見える程度だったが、今では空気中の不純気体さえも識別できる。

料理が運ばれてきた。ウェイターが二人のグラスにワインを注《つ》いだ。俺は上着のポケットから、買ったばかりの伊達《だて》眼鏡を取りだしてかけた。

「これをかけてると、一応ふつうに見えるんだ」と俺はいった。

しかしユミは浮かない顔だ。

「なんだか知らない人といるみたいで落ち着かないな。あたしと一緒の時はかけないで」

「えっ、そうかい」俺は眼鏡を外した。

運ばれてきた料理からは、大量の水蒸気や、それぞれの食材が持つ匂《にお》いの成分、油や調味料の微粒子といったものが放散されていた。そのせいで俺の目には、テーブル上に薄い雲が出来ているように見えた。そしてワイングラスからは、何かがしゅうしゅうと音をたてそうな勢いで出ていた。それがアルコール分であることに気づき、俺はあわててワインをがぶ飲みした。さらに周囲に目を配り、げんなりした。驚くほどたくさんの塵《ちり》や埃が空中を舞っていたからだ。それらがせっかくの料理に降り積もっていく。塵や埃はあらゆるところから発生していた。店の壁、天井そして床、人の髪や衣類、何もかもが発生源だった。ウェイターのぱりっとした上着でさえ、ホームレスの着衣のようにしか見えない。

「だめだ。こんな中じゃとても食べる気がしない」俺は眼鏡をかけ直した。

訝《いぶか》るユミに事情を話すと、彼女も途端に食欲をなくした顔になった。

「あたしたち、そんなに汚い中で食事をしてるってこと？」

「見えなきゃいいわけだけどさ」そういいながらも、俺はなかなかフォークを食べ物に伸ばせなかった。さっきの光景が目に焼き付いていた。

その日から俺は眼鏡が手放せなくなった。食事時もそうだが、他のことをする時でも、周囲から発せられるガス、霧、靄の類《たぐい》が気になって、何も手につかないからだ。初めは眼鏡を嫌がっていたユミも、「結構似合うね」といってくれるようになった。

ところがある朝、俺は会社のエレベータを降りる時に誤って眼鏡を落とし、レンズを割ってしまった。元々目が悪いわけではないので予備もなく、その日一日、俺は眼鏡なしで我慢することにした。

久しぶりに裸眼で見る世界は、俺を呆然《ぼうぜん》とさせた。この世は正体不明の気体で溢《あふ》れていたからだ。物質と名のつくものの殆《ほとん》どすべてから、少なくとも何かが出ていた。人々は衣類や所持品から何かを放出しながら歩きまわり、汚れきった大気を口、鼻そして皮膚から体内に取り込んでいた。髪からも何かを出していた。特に女性の顔面からは、じつに様々な色をしたガスが出ていた。

俺は慎重な足取りで自分の席に向かった。速く歩きたいが、目の前には常に霧がかかっていたのだ。

職場では課長が電話で何か喚《わめ》いていた。その口から発せられる息は薄い茶色をしていた。

俺は瞬時に、彼が昨夜ニンニクを摂取したことを知った。

課長の息は空中で広がり、エアコンの風に乗って移動し始めた。俺は急いで立ち上がり、その息をかわした。だが向かい側のスズキミコは座ったままだった。パソコンを前にして考え込んでいた彼女の顔に、課長の息が到達した。直後、彼女の顔つきが変わった。苦痛に歪《ゆが》み、次に憎悪の眼差《まなざ》しをしたままきょろきょろと周りを見回した。臭《にお》いの根源が課長であることを知ったらしい彼女は、露骨に鼻をつまみ、立ち上がった。

課長の息は、ゆっくりと漂い、他の課員たちのところへと移動していった。皆が順番に不快そうな表情を示した。その顔を見るかぎりでは、到達時間が長い席ほど、やはり臭いも薄まっているようだった。課長は部下たちが怒りを露《あら》わに自分を睨《にら》んでいることにも気づかず、能天気に電話を続けていた。

女子社員の一人が引き出しからスプレーを取り出し、空中に向かってシュッと一吹きさせた。芳香剤のようだ。周りにいた者たちがこっそりと拍手した。

芳香剤の霧はたちまち広がった。俺のほうにもやってきた。甘い香りが鼻の奥に広がった。その気体は、俺には毒々しいピンク色に見えた。皆はその気体を吸い込み、満足そうな笑みを浮かべていた。

昼休みになると俺は屋上へ行った。そこでユミが作ってきてくれた弁当を食べるのが、最大の楽しみだった。寒い時期にもかかわらず屋上に出るのには理由がある。室内よりも幾分空気が奇麗だと思うからだ。

俺たちはたった一つだけあるベンチに並んで腰掛けた。ユミがオレンジ色のプラスチック製の弁当箱を取り出した。

「はい。今日は特製おにぎり明太子《めんたいこ》入りだよー」蓋《ふた》を開け、中身を俺のほうに見せた。

「へえー、こりゃうまそう……」

俺はおにぎりを取ろうと手を出し、途中で止めた。おにぎりの周りがオレンジ色に染まっていたからだ。それが何であるか、すぐにわかった。プラスチック容器の成分がごくわずかだが溶けだし、付着しているのだ。無論、ユミには見えないのだろう。

「どうしたの？　おいしくなさそう？」ユミが不安そうに訊いてきた。

「いや、そんなことないよ。いただきまーす」俺はおにぎりを摘《つま》むと、なるべく見ないようにして頰張《ほおば》った。おにぎりはおいしかった。味はいつもと変わりがない。

「ああ、そうだ。お茶を忘れてた」

ユミは水筒を出してきた。弁当箱とお揃《そろ》いの水筒だった。俺は嫌な予感がした。

彼女は白いプラスチック製のコップにお茶を注ぎ、「はい、どうぞ」といって俺のほうに差し出した。

「やあ、ありがとう」俺はそれを手に取り、中を見た。

予感は的中した。お茶は白濁していた。俺の目にはそう見えた。白いプラスチックの成分が混ざっているのだ。

俺は目をつむり、ごくりとそれを飲んだ。別にどうってことない、もしも眼鏡をかけていたなら、何も知らずに飲んでいたはずなんだと自分に言い聞かせた。その証拠に、味には全然変わりがないじゃないか。

「おいしい？」ユミが訊いた。

「ああ、おいしいよ。いつも通りにおいしい」俺はプラスチック混じりの弁当を食べ続けた。

4

翌日の土曜日、俺はユミに付き合って都内の某小学校に出向いた。彼女の姪《めい》が出場する合唱コンクールを見るためだった。

「新しく出来た学校でね、すごく立派で奇麗なんだって」ユミはうれしそうにいった。

彼女のいうとおり、たしかに奇麗な学校だった。外壁の白さがまぶしいほどだ。俺たちは合唱コンクールの会場となっている体育館に行った。

全校児童が出場するという話のわりに、見物に来ている家族の数が少なかった。そのことをいうとユミは首を傾《かし》げながらこう答えた。

「聞くところによると、身体の調子をくずして休んでる子が多いんだって。でもインフルエンザとかじゃないみたい。この学校のレベルが高いから、勉強についていけずに登校拒否をしてるんじゃないかって話よ。だって休んでる子たち、家にいる間は元気だったりするんだって。教科書を開くと頭が痛くなるとかいう子もいるそうよ。だから、精神的なものなのよ」

ユミの話に、俺は簡単には頷《うなず》けなかった。

「ちょっとトイレに行ってくる」そういって体育館を出た。

皆が体育館に集まっているので、校舎はがらんとしていた。勝手に動き回っても、見咎《みとが》められることもなさそうだ。俺は階段を上がっていった。その途中、それまでかけていた眼鏡を外した。

同時に、目の前が灰色になった。

正確にいうと灰色ではなく、いろいろな色を混ぜ合わせたような色だ。実際目を凝らすと、赤やら青やら黒やら橙色《だいだいいろ》やらといった色の気体分子が、空中に混在しているという感じだった。

廊下は近頃《ちかごろ》には珍しく板張りで、ワックスが塗られていた。だがそのワックスから、濃い灰色の蒸気が湧《わ》き出ていた。ワックスに有機リン剤が含まれているという話を俺は思いだした。

壁や天井からも、ごくわずかだが何か出ている。そのガスには見覚えがあった。ホルムアルデヒドだ。

俺はそばの教室の戸を開けてみた。そこにもワックスの蒸気が充満していた。それだけではない。机や椅子《いす》に使われているらしい塗装剤の粒子も空気中に飛び散っていた。壁に貼《は》られた時間割表からも何か出ている。フェルトペンで書かれているため、それに含まれる溶剤が気化しているのだ。

教卓の上に国語の教科書が一冊置いてあった。俺はそれを開いてみた。インクそのものの蒸気が俺の顔面を襲った。事実、インクの臭いが鼻孔を刺激した。俺は自分の小学生時代を思い出した。新しい教科書を開いた時に漂うこの臭いに、胸を躍らせたものだ。だが、そんなに呑気《のんき》でよかったのか。教科書を開くと頭が痛くなるとかいう子もいる——ユミの話が蘇《よみがえ》った。

俺は教室を出て、近くのトイレに入った。極彩色の蒸気が発生しているところがあったので見てみると、消臭剤を吊《つる》してあった。

校舎を出て、花壇のほうへ足を向けた。そのあたりに不穏なガスが漂っているのを見たからだ。近寄ってみて、その正体を知った。除草剤がいたるところに撒《ま》かれていた。

「何してたの。ずいぶん長いトイレね」体育館に戻るとユミがぷりぷり怒っていた。彼女はほぼ全身から化学物質系の気体を発生させていた。赤く塗った爪《つめ》の一つ一つからさえも、それは出ていた。

「いや、ちょっと」といって俺は眼鏡をかけた。

合唱コンクールは思ったよりも盛り上がらなかった。ユミのいうように、欠席している子供が多かった。また出場している子供たちにしても、皆なんとなく疲れて見えた。何かに精気を吸い取られているようだった。

「ごめんね。あまり楽しくなくて」帰り道でユミが謝った。

「いいよ、別に。それに勉強になったし」

「勉強？　何の？」

「まあいろいろとさ」

「ふうん」

その直後、ユミはくしゃみを続けて二つした。彼女はそのまま鼻を押さえた。

「やばーい」

「どうした」

「毎年恒例のやつ。そろそろ春だものね」

「あっ」

俺は眼鏡を外した。

黄色い煙が、ゆっくりと町全体を覆いつくそうとしていた。まるで津波のようだ。煙は尽きることなく、空から舞い降りてくる。

黄色い粒子が俺の目の前を横切り、ユミのほうへいった。それは彼女の小さな鼻の穴に吸い込まれた。

「ハクションッ、クシュン、クシュン」ユミがくしゃみを連発した。涙も流している。

「大丈夫か」

「大丈夫じゃないよー」

それでも用意周到に彼女はマスクをバッグに入れていた。それをつけ、さらに透明のゴーグルまでつけた。

「花粉なんて最低。なくなっちまえ」涙目でユミはいった。

花粉だけで済んでいるうちは幸せさ――心の中でそう呟《つぶや》きながら、俺は眼鏡をかけた。そしてこれからはマスクもつけたほうがいいかもしれないと思った。もちろん花粉対策としてだけじゃない。

そういえば死んだじいさんも、マスクをつけていたんだった。

モテモテ・スプレー

1

昼休み前の屋上で、タカシは一世一代の勝負に出ていた。目の前には庶務課のアユミがいた。彼がここに呼び出したのだ。

タカシはアユミの唇を見つめていた。ほんの数十秒前、彼は交際を申し込む言葉を彼女に投げかけていた。彼女はさほど驚いた表情は見せなかった。前々から彼の態度には気づいていただろうし、こんなところに呼び出すとなれば、用件は大体決まっている。

アユミは驚きはしなかったが、嬉《うれ》しそうな顔もしなかった。目を伏せ、何かを考え込んでいる様子だ。

やがて顔を上げた彼女が発した台詞《せりふ》は、タカシにとっては悲劇的な、しかし幾分予想されたものだった。

ごめんなさい、だったのである。

「カワシマさんのこと、嫌いじゃないんだけど、付き合うっていうか、恋人としてどうかって考えると、ちょっと無理なの。なんか、そういう感じじゃないの。今まで通り、良き職場仲間ってことでいいんじゃないのかな」

「でも……それじゃあ、まずは友達として付き合うっていうのは？」タカシは食い下がった。

アユミは笑った。

「今でも友達じゃない。みんなで遊びに行くとかだったら、全然構わないよ。じゃあ、席に戻るね」そういって彼女はくるりと背中を見せた。

やがて昼休みの開始を告げるチャイムが鳴りだした。それが鳴っている間、タカシは呆《ぼう》然《ぜん》と立ち尽くしていた。

職場に戻ると、食事に出たらしく、誰《だれ》もいなかった。彼は自分の席についた。パソコンの電源は入ったままだ。インターネットに繋《つな》がっていて、画面には健康食品の検索結果が表示されている。

タカシはため息をつき、パソコンの電源を切ろうとした。だがその直前、ふっと気が変わり、検索の欄に次のように打ち込んでいた。

もてたい——。

こんな言葉を検索したところでどうしようもないことはよくわかっている。だが今の彼は、この思いをどこかに吐き出したくて仕方がなかった。他人に聞かせられる言葉ではないから、せめてコンピュータに投げかけてみたのだ。

検索を始めてみた。数秒後、画面に現れた内容は、当然のことながら彼の傷心を癒《いや》してくれるものではなかった。ホームページ上の誰かの日記とか、掲示板で無責任に話し合っている内容とか、どう考えてもインチキとしか思えないような開運商品の宣伝とかばかりだ。

まあそうだよな、と彼は思った。女の子にもてたいというのは、全世界の男性の夢だ。しかしどうにもならないから、日記とか掲示板で愚痴るしかなく、解決方法も神頼みになってしまう。

なぜだよ、と思った。どうして自分はもてないのか。外見はそんなに悪くないと思うし、女の子には優しくしているつもりなのだが、いざ交際を申し込むと必ずふられてしまう。

これまでの人生が、ずっとそうだった。

俺《おれ》のどこがいけないんだよお、とつい涙目になってしまう。

だがぼんやりと検索結果を見ていたタカシの目が、ある一点で止まった。そこにはこんなことが書かれていた。

『どんなに努力してももてない男はいる。性格も容姿もそれほど悪くないにもかかわらずだ。なぜ彼はもてないのか。なぜいつも「友達のままでいよう」といわれるのか。当研究所ではこの問題に取り組み、ついに一つの解答を得たのです……』

胡散臭《うさんくさ》いことが書いてあるなあ、と思った。だがタカシはその記事が妙に気になった。彼の心を惹《ひ》きつけているのは、なぜいつも「友達のままでいよう」といわれるのか、というくだりだった。それはまさに彼が長年抱《いだ》いている疑問だったからだ。

タカシはそのホームページを見ることにした。画面いっぱいに現れたタイトルは、『人類愛正常化研究所』というものだった。ますます胡散臭いと思いながら、所長からの言葉という欄をクリックする。次のような文章が出てきた。

『恋愛とは何か。人はなぜ人を好きになるのか。これらの答えは意外に簡単です。要するに、人類が栄えるため、なのです。人が誰かにひきつけられる時、じつは見えない何かを求めています。それは精神的なものではありません。きちんと科学で説明できる代物なのです。つまりそれをコントロールできさえすれば、目的の相手の心を摑《つか》むことも可能だということになります。さあ、もしあなたが悩んでいるのなら、ぜひ当研究所へお越しください。住所……』

パソコンの前でタカシは唸《うな》った。何だかもっともらしいことが書いてあるが、結局開運商品と変わらないんじゃないか、という疑いの気持ちは消えなかった。しかし彼はその研究所の住所をメモしていた。その場所は彼が住んでいるアパートのすぐ近所だった。

2

そこはタカシが住んでいる所より、もっと古くて汚いアパートの一室だった。ドアの横に『人類愛正常化研究所』とマジックで書いた紙が貼《は》ってある。

引き返したほうがよさそうだな、と思った時、ドアが開いてひどく痩《や》せた老人が現れた。

「客だな」老人はいった。「入りなさい」

「いや、あの僕は……」

「隠さんでもいい。全身からもてないオーラが出ておる」

「もてないオーラ？」タカシはむっとした。「いや、そんなにもてないわけじゃあ……」

「見栄《みえ》をはるな。見たところ、そんなに醜男《ぶおとこ》というわけではないな。するとあれだな。いつもいつも、『友達としてならいいんだけど』とかいわれるくちじゃろう」

タカシはその場でのけぞった。「わかるんですか」

「わからいでか。この道何年だと思ってるんだ。まあとにかく入れ」

老人に促されるまま、タカシは部屋に足を踏み入れた。中を見て驚いた。巨大なテーブルの上には、様々な実験器具や薬品が置かれていた。その周りには複雑な電子機器が並んでいる。

「どうやってここのことを知った？」老人が訊《き》いてきた。

「えっ、あの、ホームページですけど」

タカシの答えに老人は目を丸くした。

「なんと、あれを見て来たというのか。へええ、あんなものを信用したとは、君は余程せっぱ詰まっておるようじゃの」

「いやそういうわけじゃ……ちょっと面白いと思っただけで……家から近かったし」

「言い訳せんでいい。ホームページに具体的な研究内容を書かなかったのは、興味本位だけで集まってくる連中を排除するためだったんだ。思った通り、君のような優れた人材に巡り会えた。君のもてないオーラはチャンピオン級だからな」

「その、もてないオーラって何なんですか」

「うん、説明しよう」老人は咳払《せきばら》いをした。「ＭＨＣというのを知っているか」

「知りません」

「日本語では、主要組織適合遺伝子複合体ということになる。白血球などにあるタンパク質を作る遺伝子の複合体だ。このＭＨＣは、指紋のように、人によってタイプが必ず違うといっても過言ではない。ただし、似ている場合はある。ここまではわかるか」

「わかります」

「じつはMHCは、病気などに対する免疫力の質を表現している。だから互いに違うタイプの男女が結婚した場合、免疫力を補い合えるから、生存本能の優れた子供ができるということになる。逆に、タイプの似た者同士が結婚しても、その子供の免疫力はあまり進化しないわけだ。これが何を意味するかわかるかな？」

わからないのでタカシは首を振った。

「人は誰しも優秀な子孫を残したいという本能を持っている。だから自分とは違うタイプのMHCを持った異性にひかれるのだ。だからMHCのことを恋愛遺伝子と呼ぶことも多い。これは実験で証明されている事実だ。もし君が誰かを好きになって、その相手にも好かれたいと思うなら、相手と違うタイプのMHCを持てばいいということになる」そういって老人はタカシの顔を指差した。

「そうはいっても、どうやってそのMHCの違いを見分けるんですか」

「見分けるのではない。嗅《か》ぎ分けるのだ」老人は自分の大きな鼻を指でつついた。「一種の匂《にお》いによって判別できる。ただしこれは通常の匂いとは違うから、匂っていても意識はしないのだがね。ただし、私が発明したこの機械で分析すれば、その人のMHCがたちどころにわかる」

老人は傍らのモニターを手で軽く叩《たた》いた。

「じつはドアの前にセンサーをセットして、部屋の前で立ち止まる人間のMHCをチェックしていたのだ。今、画面に出ているのが、君の分析結果だ」

モニターには、一本の線が出ていた。特に起伏もなく、ほぼ平坦《へいたん》に近い。

「これで何かわかるんですか」

「ほぼ、真っ平らじゃろう？」

「そうですね」

「この線はMHCの特徴を表現しておる。特徴がバラエティに富んでおれば、線は大きく、激しく波打つが、特徴がなければ平坦になる。君のMHCは特徴が少ないということだ」

「それはつまり……」

「相手にとって結ばれる価値がない、ということになる。君と結婚しても、子供には新たな免疫能力がプラスされないわけだからな」

「そんなあ」タカシは泣き顔になった。「何とかならないんですか」

「だからそれを何とかしてやろうといっておるんだ。まず君の好きな女の子のMHCを分析する必要がある。大至急、その子の汗のついているものを手に入れるんだ。あとは私に任せなさい」老人は胸を叩いた。

3

一週間後の昼間、タカシは会社の給湯室のそばにいた。中にはアユミがいる。彼は深呼吸をひとつして、こっそりと懐からあるものを取り出した。それは小さなスプレー容器だ。例の老博士から、昨日手渡されたものだった。

「君が盗んできたという彼女のハンカチからMHCを分析した。この容器には、彼女とは百八十度違うタイプのMHCを示す液体が入っている。これを身体《からだ》に噴霧すれば、彼女は君にひかれるようになるはずだ」

本当だろうかと思ったが、試してみないことには何ともいえない。それに、まだ研究中だからということで、博士からは代金を要求されていなかった。効果がなくて元々なのだ。

タカシは両方の腋《わき》の下に、しゅっしゅっとスプレーしてみた。何の匂いもしない。

アユミが給湯室から出てきた。彼を見て、あら、と驚いた顔をした。

「こんにちは」彼はいってみた。

「こんにちは」先日のことがあるせいか、アユミはやはり気まずそうだ。

「あの、今夜さ、一緒に食事しない？　いや、もちろん、友達として誘ってるわけだけど」

「食事？　ほかには誰か来るの？」

「いや、二人だけで」

「二人だけ？　それはちょっと――」

アユミがそこまでいったところで、タカシは彼女に一歩近づいた。ＭＨＣを感じさせるには出来るだけ近づいたほうがいい、と博士からはアドバイスされている。

その途端、それまで硬かった彼女の表情が、氷が溶けるように緩んだ。

「そうね。たまにはそういうのもいいかもね。じゃあ、仕事が終わったら連絡をちょうだい」あっさりとそういったのだ。

「わ、わかった。じゃ、携帯の番号を教えてくれる？」

「いいよ」

これまで決して教えてくれなかった携帯番号を、アユミはすらすらとしゃべり始めた。それを自分の電話機に登録しながら、タカシは心の中で小躍りしていた。

この日タカシは、五時になるのが待ち遠しくて仕方がなかった。終業のベルが鳴ると早速アユミに電話し、近くの喫茶店で待ち合わせることにした。

喫茶店に行くと彼女はすでに来ていた。笑顔で彼を迎えてくれる。ところが彼が座った瞬間、その顔が曇り始めた。

「ねえカワシマさん、今日はやっぱりやめておく」

「えっ、どうしてだい」

「ここへ来るまではあたしも浮き浮きしてたんだけど、こうして実際に会ってみると、どうしてもデートしたいって気になれないの。とても申し訳ないんだけど……」

タカシは焦った。どうやら薬の効き目がきれてきたらしい。

「ちょ、ちょっと待って」彼は立ち上がり、トイレに向かった。彼女の視界から逃れると、素早く例のスプレーを取り出し、再び両腋にしゅっしゅっと吹きかけた。それから席に戻った。「ごめん。何の話だっけ？」

「だから今日のお食事は中止にしたいと――」そこまでいったところで、アユミの顔つきが変わった。それまで険しかった目が、潤んだようになってきた。「思ったんだけど、約束は約束だし、あたしももっとカワシマさんのことを知りたいから、やっぱり行きましょう。どこへ連れていってくれるの？」

「君の好きなところでいいよ」そういってタカシはこっそりと安堵《あんど》のため息をついた。

この日のデートは、タカシのこれまでの人生で、もっとも幸せな出来事となった。というより、こんなにうまくいったデート自体が初めてだった。計画通りのコースを辿《たど》り、準備していた話題で、会話を盛り上げた。そんな彼にアユミはうっとりとした眼差《まなざ》しを投げかけてくる。

無論、うまくいくのは薬のおかげである。その証拠に、効き目がきれかけるたびに彼女の態度は一変した。

「カワシマさん……御馳走《ごちそう》になってて悪いんだけど、二人だけでのお食事はこれっきりにしましょうね。あたし、やっぱりカワシマさんのことを男性としては見られなくて——」

こういう台詞が出てきたら赤信号だ。タカシは急いで席を立ち、薬をスプレーする。席に戻れば彼女の機嫌は直る。

「ごめんなさい。あたしどうしてあんなこといっちゃったのかな。一緒にいて、こんなに楽しいのに。さっきのことは忘れてね」

「大丈夫だよ。全然気にしてないよ」そういいながらもタカシの背中は冷や汗でびっしょりだ。

そんなことが何度かあり、そのたびにタカシは薬をスプレーした。おかげで薬が残り少なくなり、最後に入ったバーでは、彼女が正気に戻りはしないかと冷や冷やすることになった。うまくいけばホテルに誘って、とまで夢想していたタカシだったが、それは断念せざるをえなかったのである。

4

翌日、研究室を訪れたタカシは、薬の効果は認めた上で、今度はもっと大きな容器に入れてくれと博士に頼んだ。

「そうか。しかしそんなに早く効き目がきれるはずはないんだけどなあ」博士は首を捻《ひね》った。

「だけど実際に彼女の態度が変わるんですよ。あれじゃあとてもホテルまで保《も》たない」

「それはかわいそうだな。よし、では今度は大きなスプレー容器に入れてやろう」博士が出してきたのは、殺虫剤のスプレー缶ほどの大きさがある容器だった。

それを見てタカシは頼もしく思い、早くも股間《こかん》を膨らませた。

次の土曜日、タカシは二度目のデートに臨んだ。喫茶店で待ち合わせた後、彼女の希望で遊園地に向かった。

暑い日で、じっとしていても汗が滲《にじ》んだ。そのせいか、薬の効き目が薄れるのが早い。ジェットコースターに乗るために並んでいる間も、タカシは頻繁にスプレー缶を取り出すことになった。

「ねえ、どうしてそんなに何度も制汗スプレーをしてるの？」彼の行動に気づいたらしく、アユミが訊いてくる。スプレー容器が大きくて、バッグに入れて持ってきているので、隠しようがないのだ。

「いやあ、僕は汗っかきだからさあ」そういいながらもしゅっしゅっと腋に吹きかける。

「ふうん。でもそれ、嗅いでると何となくいい気分になるね」

「そうかい」

「うん、うっとりしちゃう」アユミは腕をからめてきた。タカシの鼻の下は伸びっぱなし、股間は怒張しっぱなしだ。

しかし十五分もすると、彼女の様子は変わってくる。ぱっと彼の腕から離れたかと思うと、深刻そうな声でこんなふうにいうのだ。

「あたしたち、友達のままでいたほうがいいよね。いい加減な気持ちでデートとかしちゃうのはよくないと思う」

「ちょっと待って。もう少しよく考えて」

タカシが腋に薬を吹きかけると、またしても彼女は豹変《ひょうへん》する。

「そうだよね。よく考えたほうがいいよね。だって、こんなに好きなんだもの」

気のせいか、薬の持続時間は徐々に短くなっているようだった。遊園地を出るとタカシは急いで彼女を食事に誘い、その後は半ば駆け足でバーに行き、彼女が少しほろ酔い気分になったところで、思い切ってホテルに誘ってみた。その前にはいつもより少し多めに薬をスプレーしておいた。

アユミは頰《ほお》を少し赤らめて頷《うなず》いた。

ホテルの一室に入った後、彼女はシャワーを浴びたいといいだした。タカシとしては薬がきいているうちに何とかしたいと思っているのだが、だめだともいえない。「早く出てくるんだよ」と祈るような気持ちで声をかけた。そして彼女を待つ間も、せっせと薬を自分の身体に向けてスプレーした。

ようやく出てきたアユミは身体にタオルを巻いていた。肌がピンク色に染まっている。タカシは一気に逆上し、襲いかかろうとした。

「ちょっと待って。あなたもシャワーを浴びてきて」

「えっ、僕はいいよ」

「だって、記念の夜なんだから、お互いに身体を奇麗にしておきましょうよ。ずいぶんと汗をかいてたみたいだし」

汗っかきといった以上、彼女の言葉を無視するわけにはいかなかった。タカシは渋々シャワールームに入った。シャワーなんかを浴びたら、せっかく吹きかけた薬が流れてしまう。しかし身体から石鹸《せっけん》の匂いがしないのでは、彼女が怪しむだろう。

泣く泣くシャワーを浴びた後、彼は改めて薬をスプレーすることにした。ところが少し吹きかけたところで、ノズルがぷすぷすと情けない音をたて始めた。

えー、勘弁してくれよ——そう思ったが、無情にも薬はきれてしまった。

彼は急いでシャワールームを出ると、すでにベッドにもぐりこんでいるアユミの隣に身体を滑り込ませた。

「電気を消して」小さな声で彼女はいった。

うん、と頷き、タカシはナイトテーブルの明かりを消した。どうか、ことが終わるまで薬の効果がきれないでくれ、と祈るような気持ちだった。

「アユミ、愛してるよ」彼は今まで口にしたことのない台詞を発した。一刻も早く行動に出なければと焦っていたからだ。

「ありがとう」闇《やみ》の中からアユミの声が聞こえた。「あたしもあなたのこと……」

「アユミ……」タカシは彼女のほうに身体を向け、腕を伸ばした。柔らかいものが手に触れた。彼女の肩に相違なかった。それをぐっと引きつける。「僕は……僕は……」息が荒くなっていた。

「ごめんなさい」次の瞬間、頭の上から声が聞こえた。「今夜はどうしてもそういう気持ちになれないの。さっきまでは心を決めてたんだけど……。また今度ね」

アユミは素早く着替えを済ませると、呆然として声を失っているタカシを残し、部屋を出ていってしまった。

タカシが、自分が抱き寄せているものが枕《まくら》だと気づいたのは、それから数秒後だった。

5

「調べた結果、大変なことがわかったよ」博士が淡々とした口調でいった。「要するに君のＭＨＣが強力すぎる、ということだ」

「どういうことですか」

「薬によって彼女の気持ちを引きつけることはできた。しかしそれにも限度があるのだ。君のような強いＭＨＣを発している場合、薬ではごまかしきれないのだよ。にもかかわらず大量に薬を使いすぎたため、彼女の側に耐性ができてしまったんだ。残念だが、いずれ薬は全く効かなくなる」

「じゃあ、どうすればいいんですか」

タカシの必死の質問にも、博士はただ首を振るだけだ。

「どうしようもない。まあ、何度かデートできたんだからいいじゃないか」

「そんな無責任なっ」タカシは博士の襟首を摑んだ。

「く、く、苦しい。そんなこといっても、君のMHCが強すぎるんだから仕方がない」

「薬をください。残りの薬を全部ください」

「それはかまわんが、今もいったように時間の問題で効かなくなるぞ」

「それでもいい。残された時間で何とかしてみせる」

「やめたほうがいいと思うがなあ」博士はキャビネットの下からペットボトルの二リットル容器を出してきた。「これが全部だよ」

タカシはそれを両手で持ち上げた。何とかしてみせる、ともう一度呟《つぶや》いた。

6

タカシを見て、アユミは目を見開いた。「どうしたの、その格好」

「いろいろと事情があってね」彼は答えた。「変かな、やっぱり」

「うん、まあ、そうでもないけど」彼女は口ごもった。

タカシはスーツの上からリュックサックを背負っていた。中身はいうまでもなく例のペットボトルだ。そこからチューブを通して、彼の腋の下に薬が注がれるようになっている。いちいちスプレーしていたのでは追いつかない、と思った末の工夫だ。

「車を借りたんだ。ドライブに行こう」

彼がいうと、アユミはうれしそうな顔で腕を組んできた。

「あたし、友達に自慢しちゃった。素敵な彼氏が出来たって」助手席でアユミが、幾分照れながらいった。

「えっ、彼氏っていうのは……ええと、誰のこと？」

「そんなあ、わかってるくせにい」彼女はタカシの膝《ひざ》をつねった。

でへへへ、とにやけてしまうタカシだった。かつてこんな気分を味わったことなど一度もなかった。こんなかわいい子とデートしている、恋人として接している——まるで夢のようだった。

だが実際にこれは夢みたいなものなのだ、と彼は自分自身にいい聞かせた。薬がきれたら彼女の気持ちも終わる。薬がきれなくても、いずれは効かなくなる日が来るのだ。

ドライブの後、レストランで食事をし、その後でボウリングを楽しんだ。タカシはリュックを背負ったままボールを投げた。そのことをアユミは不思議に思ったようだが、あまり詮索《せんさく》はしてこなかった。彼女は幸せそうに見えた。タカシも、いうまでもなく幸せだった。

ボウリング場を出た後、タカシは港に向かった。夜の海を眺められるベンチに、二人で座った。

「素敵な一日だったね。すっごく楽しかった」アユミがいった。

「僕もだよ」そういいながらタカシは絶望的な気分に陥っていた。腋の下が濡《ぬ》れていないことに気づいたからだ。とうとう薬がきれたのだ。

「あたし、あなたと出会えてとても幸せよ」

彼女の言葉にタカシは感激した。同時に彼は、ある決意を固めた。

「君に告白しなきゃならないことがあるんだ」彼はいった。

「なに？」アユミは不安そうに瞬《まばた》きした。

「じつは――」唾《つば》を飲み込んだ後、彼はこれまでのことをすべて語り始めた。不思議な博士によって薬を与えられたこと、その薬でアユミの気を引こうとしたことなどだ。最後にはリュックサックから空になったペットボトルを取り出し、彼女に見せた。

驚くか、あるいは怒りだすかと思ったが、アユミは笑いだした。

「そんなことあるはずないじゃない。あたしのこの気持ちが薬のせいだなんて。タカシさん、あたしをからかってるんでしょー」

「違うよ。本当なんだ。君が僕のことを好きでいてくれるのは、薬のおかげなんだ。で、その効き目ももうなくなってしまう。だから最後にそのことを教えておきたかったんだ」

「冗談でしょう？」

「僕は本気だよ。冗談だとしたら、どんなに幸せか」タカシはいつの間にか涙を流していた。

アユミが真顔になった。彼の様子から、どうやら冗談ではないらしいと悟ったようだ。

「本当のことなの？」

「うん……」彼は項垂《うなだ》れた。

アユミは強くかぶりを振った。

「あたしは信じない。ううん、あなたは本当のことをいってるのかもしれないけど、あたしの今の気持ちが薬のせいだなんて、絶対に認めない。だってこんなにあなたのことを想ってるのに」

「アユミ……」タカシは彼女の顔を見つめた。

「最初は薬のせいだったかもしれない。でも今のあたしの気持ちに嘘《うそ》はないわ。あたしはあなたのことが好きよ。信じて」

彼女の真剣な目を見つめ、いいようのない喜びをタカシは感じた。もし薬がなくても彼女が自分のことを愛してくれるのなら、これに勝る幸せはない――。

タカシは彼女の背中に腕を回した。ぐいと自分のほうに引き寄せる。彼女の唇を見つめ、そこへ自分の唇を近づけていった。

「あなたが好きよ」彼女はいった。

「うん、ありがとう」タカシはさらに唇を近づけた。

「あなたへの気持ちはずっと変わらない。この先もずっと」

「僕もだよ」

「ずっとずっとこの先もずっと」アユミは続けた。「あなたは大事なお友達よ」

「えっ」

「あたしたちの友情に嘘はない。永遠に友達でいましょう」彼女はそういって頷いた。

7

アユミと別れた後、タカシはふらふらと博士のアパートに向かっていた。たとえ一時だけでも幸せな時間を授けてくれたことに対して礼をいっておこうと思ったからだ。

部屋の中からは妙な声が漏れていた。よく聞くとそれは博士の声だ。何やら楽しげに歌っている。

タカシがドアを開けると、博士は日本酒の瓶を手に、一人で大いに盛り上がっていた。

「やあ、君か。なんだそのしけた顔は。とにかく一杯やらんか。祝杯をあげよう」呂律《ろれつ》の怪しい口調で博士はいった。目もとろんとしている。

「何かいいことがあったんですか」

「あったなんてもんじゃない。ついに私はやったよ。大ヒット商品を生み出したのだ」

「何ですか。例のモテモテ・スプレーですか」

タカシがいうと、博士は大きく手を振った。

「あんなものより、もっと商品になるものを思いついたんだ。まあ、これを見てくれ」博士はパソコンの画面を指差した。そこには例の、『人類愛正常化研究所』のホームページが表示されている。そこに、次のような宣伝文句が付け足されていた。

『御主人や彼氏の浮気に悩まされている貴女《あなた》に朗報！　画期的な薬が完成しました。名付けて、モテナイ・スプレー。これを御主人や彼氏の身体にしゅっとひと吹きするだけでOK。これで浮気の心配は皆無。どの女にも絶対にもてない男に変身です。試供品をご希望の方は――』

「何ですか、これは」タカシは博士に訊いた。

「そこに書いてあるとおりだよ。試供品を配ったところ、反響がすごくてね。今日一日で、びっくりするぐらいの注文があった。これで貧乏生活からも解放される」

「このモテナイ・スプレーというのは、もしや……」

「そうその通り」博士はいった。「君のＭＨＣから作ったものだ。君のもてなさ加減はすごいから、逆転の発想をしてみたのだよ。いや、大したもんだ。今までいろいろなもてない男を見てきたが、君ほどの男はいなかった。君はすごい。もてないオーラの質が違う。これからもどんどん振られてくれ。そして、もっともてないオーラに磨きをかけてくれ。がんばれタカシ、がんばれ、キング・オブ・もてない君。もてないバンザイ、もてないに幸あれ、もてないと共に——」

タカシは博士を殴り倒した。

シンデレラ白夜行

1

「ちょっと、私のドレスの裾《すそ》がほころびたままじゃないの。ちゃんと繕っておけといったでしょ。何ぼんやりしてるのよ」

長女の金切り声がこだました。庭で薪《まき》を割っていた召使いは、いつものことだとは思いつつも、びっくりして窓から部屋を覗《のぞ》き込んだ。

「ごめんなさい、お義姉《ねえ》様。今すぐにやりますから」必死で謝っているのは末っ子のシンデレラである。召使いにとっては見飽きた光景だった。

「もういいわよ。別のを着ていくから。ほんとうにもう役立たずなんだから」長女はぷりぷり怒りながらドレスを脱ごうとした。しかし太った身体《からだ》を無理矢理細いドレスに押し込んでいるものだから、なかなかファスナーがおりない。とうとうドレスはびりびりと裂けてしまった。

「ああもう、あんたのせいよ。あんたのせいでこんなになっちゃったじゃないの」

「ごめんなさい、ごめんなさい」

「シンデレラ、私の靴は磨いてあるでしょうね」シンデレラの継母《ままはは》が訊《き》く。「磨いてなかったら、ただじゃおかないからね」

「磨いてあります、お義母様《かあさま》」

「あーん、ドレスに合うネックレスがない。どうしよう」次女が喚《わめ》き始めた。「そうだ、シンデレラ。あんた、いいのを持ってたね。あれを持っておいで」

「えっ、でもあれは亡くなったお母様の形見で……」

「うるせえんだよ。持ってこいといったら、早く持ってこい」

「でも……」

「逆らうんじゃねえよっ」継母と二人の義姉《あね》が声を合わせてすごんだ。シンデレラは涙目になりながらも、はい、と小声で返事して部屋を出ていった。

召使いは窓から離れ、首を振りながらため息をついた。相変わらずのやりとりに、げんなりした。

旦那様《だんな》も、よりによってどうしてあんな女を後妻にしたのだろう、と不思議に思うのだった。器量は悪いし、性根も悪い。おまけに出来の悪い連れ子を二人も抱えている。結婚するメリットといえば、金銭的に少し楽になるということぐらいだ。彼女は有名な高利貸して、ひと財産を稼いだという話だった。

しかしその金銭面での理由が大きいのだろうな、と召使いは想像するのだった。シンデレラの父親は貴族だが、経済力は皆無といっていい。これまでは先祖の遺産だけで食べてきたようなものだ。ところがいよいよその貯金も底をつき、土地や建物まで手放さざるをえない状況に追い込まれた。

そんな時、あのダンダラという名の性悪女が現れた。ダンダラは成金だが、名家の出身ではなく、そのことでコンプレックスを感じていたようだ。そこでシンデレラの父親に目をつけた。要するに彼女は貴族の肩書きがほしかったのだ。

だがそんな結婚で犠牲になったのがシンデレラだ。乗り込んできた継母と二人の義姉は、自分たちが食わせてやっているのだからと、彼女を使用人ぐらいにしか見ていない。シンデレラはシンデレラで、彼女たちの機嫌を損ねれば父親が困ると思っているらしく、じっと我慢している。そんな状況に父親が気づかないはずはなかったが、でくの坊の彼は、この妻に離婚されたらもう生きていく術《すべ》がないと、彼女たちには何もいわないで、シンデレラの苦悩についても見て見ぬふりを決め込んでいるのだ。

継母と二人の義姉は、ちっとも似合っていない派手な衣装を身に纏《まと》い、馬車に乗って出かけていった。今夜もどこかでパーティがあるらしい。シンデレラは無論、留守番である。

彼女たちを見送ったシンデレラの背中に、召使いは声をかけた。「お嬢様」

シンデレラは振り返ると、彼を見てにっこりした。

「薪割りは終わったの？　お疲れ様。じゃあ、お茶でもいれましょうか」

「お茶なんかいいです。それよりお嬢様、どうしてあの人たちのいいなりになっているんです。お嬢様こそ、この家の正式な跡取りじゃないですか。旦那様にいって、叱《しか》ってもらうべきです」

するとシンデレラは一瞬悲しそうな顔をしたが、すぐに笑顔に戻った。

「お父様を困らせたくないの。あなたもお父様には何もいわないでね。ところで、今夜もお留守番をお願いできるかしら」

「それは構いませんが、またバイトですかい？」

「そうよ。あたしだって、少しはお金を稼がないとね」

「やれやれ、旦那様が少しは働いてくれたら、お嬢様がこんな苦労をすることもないのに」

「だから、そういう話はしないでちょうだい」

優しい口調ながらぴしりといわれ、召使いは何もいえなくなってしまった。彼女が本当は極めて芯《しん》の強い女性であることを、彼はよく知っていた。

2

その店は高級洋品店だった。ドレスやアクセサリーはもちろんのこと、ありとあらゆる装飾品を扱っている。最近では豪華馬車のレンタルまで始めていた。いわゆる貴族御用達《ごようたし》の店である。

午後八時三十分、ルメロはその店の裏に回った。彼女が勝手口のドアをノックすると、静かにそれは開いた。

中で彼女を待っていたのはシンデレラだった。

「御苦労様、いつもありがとう」

シンデレラの言葉にルメロは首を振った。

「礼をいわなきゃいけないのはこっちよ。本当に助かっているもの」

「だったらいいんだけど」

シンデレラに促され、ルメロは中に入った。そこは店の倉庫兼裁縫室だった。店で売られているドレスなどは、すべてここで作られているのだ。店に飾りきれない商品が保管されてもいる。しかし、だからといって華麗な空間ではなかった。商品は梱包《こんぽう》されていて見えないからだ。むしろ、裁縫や工作を行った後の布きれや部品類がいたるところに散らばっていて、乱雑で汚いとさえいえる。

それを奇麗に掃除するのがルメロの仕事だった。

「はい、じゃあこれは先月分のお給料ね」

シンデレラから渡された袋を手にし、ルメロは涙がこぼれそうになった。

「シンデレラ、あたし、何といっていいか……」

「どうして泣くの？　あなたが働いたんだから、当然の報酬でしょ。それで病気のおかあさんに、薬だって買ってやれるわね」

ルメロは頷《うなず》いた。感謝の言葉を重ねたかったが、シンデレラがいやがることを知っていたので黙っていた。

この仕事は本来シンデレラのものだった。ところが、ルメロが仕事がなくて困っていることを知った彼女が、それをこっそり譲ってくれたのだ。といっても、店の経営者には内緒である。ルメロの母親は病気で、しかもたちの悪い伝染病だという噂《うわさ》が流れているので、娘の彼女を雇ってくれるところなど一つもないからだった。

表向きはシンデレラが雇われているように見せかけ、じつはルメロが働いていて、店から出る給料もシンデレラを通じて彼女に手渡されていた。そのおかげでルメロは母親と暮らせているのだ。

「じゃあ、十二時に戻るから、それまでお願いね」

「うん、任せて。あなたは今夜も配達？」

「そうよ。どうしても今夜中に見せてほしいといわれたものだから」シンデレラは衣装ケースを抱えた。店の得意先に新商品をいち早く見せに行く、というのも彼女の仕事の一つらしい。時には馬車を倉庫から出していくこともある。

十二時までに戻ってくるのは、その後、警備員がやってくるからだった。それまでにルメロはここを立ち去り、シンデレラは帰ってくる必要があった。

シンデレラは衣装ケースを手にし、じゃあ後で、といって出ていった。

3

この街には貴族や財界人が多く住んでいた。彼等《かれら》は毎日のように舞踏会やパーティを開催していた。大きな催しもあれば小さな催しもある。決まった場所にしか行かない者が殆《ほとん》どだが、中にはあちこち回るのが好きな者もいた。彼等は要するに、いい女を求めて、複数の会場を泳ぎ回っているわけである。

そんなパーティマニアたちの間で、最近話題になっている女がいた。

その女はあちこちの舞踏会やパーティに出没している。いつもとびきり高級なドレスやアクセサリーで着飾り、見事なダンスを披露して、いろいろな男の心を摑《つか》んでは、どこへともなく消えていくのだ。男たちは彼女のことをレディ・マスクと呼んでいた。仮面舞踏会でもないのに、常に目元を隠すマスクをつけているからだ。それでも彼女が抜群の美女であることは、誰《だれ》も疑わなかった。

レディ・マスクは、今夜もある舞踏会に現れていた。当然のことながら、彼女の周りでは、何とか彼女と一曲共にしようとする男たちがうろうろしていた。

「おい、見ろよ、あの腰のライン。あんな女をものにできたら、男として最高の気分だろうな」貴族の若者が声をひそめてしゃべっている。話し相手は彼の友人だ。

「諦《あきら》めろよ。レディ・マスクは、中途半端な貴族や金持ちじゃ、ダンスの相手はしてくれないらしいぜ。我々が誘ったところで、あっさりふられるのがおちだ」

「すると貧乏貴族としては、指をくわえて眺めているしかないというわけか。何とも切ない話だ。それにしても彼女、一体何者なんだろうな」

「さあね。王室の親戚《しんせき》だとか、外国の王女だとかいう噂はあるが、どれもこれも根拠のない憶測ばかりだ。まあしかし、ただ者でないことは確実だ。何しろ、いつだって超高級品を身に着けている。今日の指輪を見たかい？　あんなダイヤ、見たことない」

「とにかく彼女を見ていると、こっちがいかにちっぽけな人間か、思い知らされるようだ。——おや、新しい客が入ってきたぞ」入り口に目を向けた若者は、途端にうんざりした表情に変わった。「やれやれ、三匹の子豚のお出ましだ」

「三匹の子豚？　何だいそれは」

「例の高利貸しのババアと二人の娘だ。貴族と結婚して、こうした場所への出入りも叶《かな》ったわけだが、どうにも場違いで見ているほうが恥ずかしくなるね」

そちらに目を向けた若者は、顔を歪《ゆが》めた。

「ああ、あの連中か。やたらと金をかけているわりに、ちっともゴージャスに見えない。成金趣味丸出しだ。おっ、レディ・マスクが引き上げていくぞ」

「たぶん、三匹の子豚と同じ場所では踊りたくないんだろうさ。おやおや、レディ・マスクがいなくなったら、男たちも続々と帰り始めた」

「僕たちも帰ろうぜ。ぼやぼやしてると、子豚たちのダンスの相手をさせられるぞ」

二人の若い貴族は、急ぎ足で出口に向かった。

4

夜遅くになって、ダンダラは二人の娘と共に家に帰った。部屋に入るなり、長女がバッグを投げつけた。

「ああ、いまいましい。何よ、今夜の舞踏会は。あの仮面の女が帰ったら、男共もいなくなっちゃうんだもの。失礼にもほどがあるわ」

「お母様、私も今度からは仮面をつけようかしら。そうしたら、あの女みたいに男の人からちやほやされるかもしれないでしょ」

次女の提案にダンダラは無言である。そんなことをしても無駄だろうな、と思うからだった。仮面をつけたところで、太い胴体や足を隠せるわけではない。

「シンデレラ、おい、シンデレラ。どこにいるんだい」ダンダラは叫んだ。

ドアが開き、粗末な服を着た義理の娘が現れた。「お帰りなさい、お義母様。お義姉様方もお帰りなさい」

「お帰りなさいじゃないだろ。夜食はどうなってるんだい。舞踏会の後はお腹《なか》が減るから、何か食べるものを用意しておけっていっといただろ」

「あ……ごめんなさい。じゃあ、今からサンドウィッチを作ります」

「ぐずぐずしないで、早く作るんだよ」ダンダラはドレスを脱ぎ捨て、下着姿で椅子《いす》に座り、煙草《たばこ》を吸い出した。「それよりあんたたち、お城での舞踏会の話を聞いたかい」

「聞いたわよ。王子様が妃《きさき》を選ぶっていうんでしょ」長女が目を輝かせた。

「これはまたとないチャンスだよ。あんたたちのどちらかが選ばれたら、いずれは王妃だ。私は王妃の母親だ。国を手に入れたも同然なんだ。どんな手を使ってでも、王子をたらしこんでもらわないとね」

「お母様、私、がんばる」次女が胸の前で両手の拳《こぶし》を固めた。

そんな娘たちを見て、ダンダラは渋い顔になった。このままでは、どう逆立ちしても選ばれないだろうな、と思うのだった。

「あんたたち、明日からエステに通いなさい。舞踏会までに、今より最低十キロ……いや、二十キロは落とすんだ」

「えー、そんなの無理」長女が泣き顔になった。「せめて、二キロにして」

「馬鹿。そんなことじゃ王子様のハートを射止められないよ」

シンデレラがサンドウィッチを盛った皿をトレイに載せて戻ってきた。

「お義母様、今のお話は本当？　王子様が次の舞踏会でお嫁さんを選ぶっていうのは

「……」

「あんたには関係ないよ」ダンダラは冷たくいい放った。その勢いのまま、皿に伸ばしかけていた次女の手をひっぱたいた。「何やってるんだよ。今の私の話を聞いてなかったのかい。あんたたちは、たった今からダイエットするんだ。しかも一番強力な断食ダイエットだ。舞踏会の日まで、水以外は口にしちゃだめ。わかったね」

ええー、と二人の娘はのけぞった。

「じゃあ、このサンドウィッチは？」長女が訊いた。

「私が食べるんだよ。決まってるだろ。おい、シンデレラ、何をぼんやりしてるんだ。サンドウィッチだけじゃ喉《のど》が詰まるだろ。さっさと飲み物を持ってくるんだよ」

「はい、ただいま」シンデレラは厨房《ちゅうぼう》に駆け込んだ。

二人の娘が涎《よだれ》を垂らして見守る中、ダンダラはサンドウィッチを頬張《ほおば》った。

5

ペトロは靴職人だ。シンデレラの亡母とは親戚にあたる。そんな彼のところへシンデレラがやってきた。

「えっ、何だって？　ガラスの靴を作るのかい」ペトロは目を丸くした。彼女から靴を作ってくれと頼まれたことはあったが、ガラスなんていう素材を指定されたのは初めてだ。

「そうよ。あたし、どうしてもガラスの靴がほしいの。靴職人多しといえども、そんなものを作れるのはペトロおじさんだけだわ。そうでしょう？」

美しい彼女にそんなことをいわれれば誰だって嬉《うれ》しい。ペトロも例外ではなかった。

「そりゃまあ、わしに作れない靴はないがね。でも何だってそんな靴がいいんだい」

すると彼女は形のいい目を見張った。

「以前、おじさんはこういってくれたでしょ。シンデレラ、おまえの足は本当に美しくて小さい。この世の誰も、おまえの靴を履けないだろうって。でも実際には、無理して押し込めば履けないことはないの。うちのお義姉様たちだって、あたしの靴にあの大きい足をぎゅうぎゅう押し込んじゃうぐらいなのよ。もっとも脱いだ後は、元の形を思い出せないぐらいに変形しちゃってるけど。だからおじさん、あたしは世界中であたしだけが履ける靴が欲しいのよ。あたしの足だけにぴったりで、ほかの人には履けない靴よ。そのためには変形しない素材でないとだめでしょう？　だからガラスがいいのよ」

ペトロは彼女の言い分に納得した。たしかに皮や布は伸びるし、木は簡単に削れる。

「そういうことか。わかったよ、シンデレラ。よし、作ってやろう」

「ありがとう、おじさん。大好きよ」シンデレラはペトロの頬にキスをした。

ペトロはにやけながら、彼女の足型を取り始めた。

6

城で舞踏会が開かれる日がやってきた。

王子は気乗りしないまま支度を始めていた。大鏡には、不機嫌そのものの自分の顔が映っている。

正直いうと、彼はまだ嫁など娶《めと》りたくなかった。いろいろな女と付き合い、独身生活をエンジョイしたいのだ。結婚なんかしたら自由が束縛されるような気がした。

しかし両親、つまり王と王妃はうるさい。ふらふらしている息子を落ち着かせたくて仕方がないらしい。

「王子、舞踏会が始まりました。そろそろ会場へどうぞ」従者がやってきてそういった。

「ちぇっ、めんどくせえな」王子は重い腰を上げた。

会場には国中から選《え》りすぐられた娘たちが集まっていた。彼女たちが美しく舞う様子は、まるで動く花畑だった。

「ふん、まあ、とりあえず美人を揃《そろ》えてあるようだな」王子はざっと見回してから、壇上に用意された椅子に腰かけた。

美しいという程度じゃ、おれの心は動かされないぞ、と彼は思った。何かほかにプラスアルファがないとだめだ。何としてでもこの女をものにしたいと思わせるようなもの、心をぞくぞくさせるものを備えていることが最大の条件だ。

娘たちを眺めていた彼の目が大きく見開かれた。彼は隣の従者に声をかけた。

「おい、あれは何者だ」

「はっ、どの娘でしょうか」早速、どこかの娘に目をつけたのかと思い、従者は訊いた。

「あそこにいる二人だ。柱のそばにいるだろう。ダンスも踊らずに、料理をがつがつ食っているデブコンビだ」

「ははあ、あれは……」従者は参加者のリストを見た。「あれはダンダラ夫人の娘たちですな」

「つまみだせ」

はっと返事して従者は動いた。衛兵によって、二人の太った娘は会場から連れ出されることになった。

「えー、どうして私たちだけ出ていかなきゃならないのよおう」

「もう一口だけケーキを食べさせてえ」

二人がつまみだされるのを見送った王子は、ため息をつきながら改めて場内を見回した。やがて彼の視線が一点で止まった。そこに、ほかの娘たちとはまるで違う女がいたからだ。

王子は先程と同じように従者に素性を尋ねた。従者はリストを見て首を傾《かし》げた。

「レディ・マスク、となっているだけです。素性はわかりません」

「レディ・マスク……か」

たしかに彼女は仮面をつけていた。だがほかの娘と違って見えたのは、そのせいだけではなかった。全身から発するオーラが、王子の心を引きつけていた。

ここに呼べ、と彼は従者に命じた。

皆が驚いて見つめる中、王子はレディ・マスクと踊り始めた。彼女はダンスの腕前もたしかだった。

「君のことをもう少しよく知りたいな。別の部屋へ行こう」王子は彼女の耳元で囁《ささや》いた。

別の部屋にはベッドが置いてあった。

君のことを知りたいというのは、セックスをしたい、という意味である。レディ・マスクも抵抗せず、服を脱いだ。しかし仮面はそのままだ。

「どうして顔を見せてくれないんだ」王子は訊いた。

「だって王子様は、美しい顔なんて見飽きてらっしゃるでしょう？　だったら顔なんか見なくてもいいのではありませんか」レディ・マスクは答えた。

それもそうかと思い、王子はセックスにとりかかることにした。仮面の女とのセックスというのも悪くない、と考え直していた。

ところが彼に余裕があったのはここまでだ。いざセックスが始まると、彼は完全に受け身に回ることになってしまった。それほど彼女のテクニックは素晴らしかったのだ。多くの女と経験してきた王子でも、これほどの悦楽を味わったことはなかった。

夢心地で彼が五回目の射精を終えた時、どこからか鐘の音が聞こえてきた。

レディ・マスクはベッドから飛び起きた。「大変、十二時だわ」

「まだいいじゃないか」

「そういうわけにもいかないのよ。じゃあね、ダーリン。あなたのセックス、まあまあだったわよ」そういうと彼女は王子の頬にキスをし、ドレスを素早く身に纏うと、風のように部屋を出ていった。

王子はしばらくぼんやりしていたが、やがてはっとして起きあがった。

彼女の正体をまるで知らないことに気づいたからだ。彼は急いで服を着ると、部屋を出た。従者を見つけて尋ねた。「レディ・マスクは？」

「先程、馬車に乗ってお帰りになりました」

王子はがっくりして部屋に戻った。あれこそ最高の女だと思った。自分が探し求めていた女だ。しかしどこの誰かもわからない。探しようがない。

その時だった。項垂《うなだ》れた彼の目に、ひとつの手がかりが入った。いうまでもなく、ガラスの靴である。

7

シンデレラが発見されるまでに、さほど多くの時間はかからなかった。花嫁探索隊と名付けられた兵隊たちが、ガラスの靴を持って、年頃《としごろ》の娘たちのいる家を片っ端から回ったからである。

その靴に足が合えば王子の嫁になれるとわかっていたので、多くの娘たちが、何とかして履いてやろうとがんばったが、誰の足にも合わなかった。

ダンダラの娘たちは足の脂肪吸引までしたが入らなかった。

そしてシンデレラの番がきたのである。彼女は最初、履くことを渋っていた。それでも無理に履かせてみると、ぴったりだったというわけだ。

それについて彼女はこう話している。

「たしかにあたしがレディ・マスクです。でも本当のあたしはこんなにみすぼらしいので、王子様にがっかりされたくなくて、名乗り出られなかったのです」

彼女の告白にダンダラや二人の義姉は驚いた。しかし最も仰天したのは、父親のミモネルだった。彼は、娘が美しい衣装を身に纏っていたことや、馬車に乗って現れたということが信じられなかった。彼女にそんな金がないことは、彼が一番よく知っていたからだ。

「それについては信じてもらえないと思うけど」そう前置きして彼女が話した内容は、たしかに信じがたいものだった。

なんと、魔法使いに用意してもらったというのだ。ドレスもアクセサリーも魔法で出されたものだし、馬車にいたっては、元々はカボチャとネズミだという。

そんな馬鹿な、と思うが、信じるしかなかった。

ただ、疑問はある。十二時になると魔法が解けるので急いで立ち去った、ということだったが、ではなぜガラスの靴は消えなかったのだろう。

その点についてミモネルが質問すると、シンデレラはいつも曖昧《あいまい》な答えではぐらかしてしまう。

まあ別にどうでもいいことだが——そう思いながらミモネルはウェディングドレス姿の

娘に目をやった。

今日これから王子との結婚式が行われるのだ。シンデレラはいつも以上に美しく、清楚《せいそ》に見えた。

結婚式には国中の貴族、財界人が集まる。この世で最も華やかな儀式となるはずだ。

ただし花嫁の家族はミモネルだけである。義母のダンダラも義姉も出席しない。ミモネルがダンダラと離婚したからだ。それを勧めたのはシンデレラだ。

「彼女たちの役目は終わったわ。お金を少し渡して別れるべきよ、お父様」

ミモネルは娘のいうとおりにした。ダンダラは嫌がったが、王室から圧力をかけてもらうと、すぐに抵抗しなくなった。

ミモネルとしては、ダンダラと離婚できてせいせいしている。というのは、元々彼女との再婚には乗り気でなかったからだ。性格が悪いことは知っていたし、二人の連れ子がシンデレラをいじめることは目に見えていた。

それでも再婚したのは、シンデレラから説得されたからである。

「お父様、この世はとりあえずお金よ。女と結婚すると思うから抵抗があるのよ。お金と結婚すると思えばいいの。ダンダラと結婚すれば、食べていくには困らないわ。そのうちにあたしがチャンスを摑んでみせる」

「だけどあの三人はきっとおまえをいじめるよ。私はおまえに嫌な思いをさせたくない」

ミモネルがそういうと、シンデレラはにっこり笑ってこう答えた。

「そんなの平気よ。だってあたし、いずれはきっとヒロインになるんだもの。ヒロインには、悲劇の一つや二つあったほうが絵になるのよ」

いよいよ結婚式が始まった。皆が祝福する中、王子とシンデレラが誓いの口づけを交わした。ミモネルも拍手しながらその様子を見つめた。

シンデレラが顔を民衆たちに向けた。その唇に浮かべられた笑みの意味を、ミモネルは考えていた。

ストーカー入門

1

「悪いけど、別れてちょうだい」

　華子《はなこ》が突然こんなふうに告げたのは、晴れた日曜日のことだった。僕たちは表参道にあるオープンカフェで、向き合って座っていた。僕はアイスコーヒーを飲んでいるところだった。

「えっ」ストローから口を離し、僕はぱちぱちと瞬《まばた》きした。「別れるって、ええと、どういうこと？」

　とぼけた答えに苛立《いらだ》ったのか、華子はマンゴージュースのストローをぽいと捨て、グラスを掴《つか》んだかと思うと、ぐびぐびと飲み干した。

「じれったい人ね。別れるといったら決まってるじゃない。あたしとあなたが別れるの。サヨナラってこと。この店を出たら、右と左に別れてそれっきり。わかった？」

「待ってくれよ。どうして急にそんなこと……」みっともないと自覚しつつ、僕はおろおろしていた。僕たちの会話が聞こえたらしく、隣のテーブルにいた二人の女の子が、じろじろとこちらを見ている。

「あなたにとっては急でも、あたしにとっては急でも何でもないの。とにかく、今みたいな関係はもう続けたくない。もううんざりよ」

華子は乱暴に立ち上がると、近くの椅子《いす》やテーブルを蹴散《けち》らす勢いで店を出ていった。

何が起こったのかさっぱりわからず、僕はただ呆然《ぼうぜん》としていた。彼女を追いかけるという発想すら浮かんでこなかった。頭の中では無数のクエスチョンマークが渦巻いていた。

しばらくして我に返り、僕は店を出た。背後で他の客たちのくすくす笑う声がした。

表参道を歩き回ってみたが華子の姿はどこにもなく、僕は諦《あきら》めて家に帰った。

どう考えてもわからなかった。昨日までは、僕と華子の間には何の問題もなかったはずなのだ。昨夜は一時間以上も電話で話したし、今日のデートだって、あの店に入るまでは十分に楽しかった。彼女だって楽しそうだった。

あの喫茶店に入ってから自分が何か失敗をしたのだろうかと考え直してみた。しかし思い当たることは何もなかった。大体、あの店にいたのはほんの十数分間なのだ。

どうしても納得できず、その夜僕は彼女に電話をかけて真意をたしかめようとした。だが結局、呼び出し音が鳴る前に電話を切った。彼女はかなり興奮していた様子だから、今夜はそっとしておいたほうがいいと考えたのだ。

汚い部屋でごろりと横になり、天井の染みを見つめた。華子の横顔によく似た形の染みだった。

僕と華子とはバイト先で知り合った。ハンバーガーショップが僕たちの職場だった。何となく親しくなり、何となくセックスをして、何となく恋人と呼ばれる関係に落ち着いた。特にどちらが無理をすることもなく、ごく自然にくっついた、というのが最も適切な表現かもしれない。

僕は現在、設計事務所で働いている。華子は専門学校に通いつつ、夜は居酒屋でバイトをしている。フリーライター志望だというけれど、そういうものになれる可能性がどれだけあるのか、僕には全く見当がつかない。

とにかく僕は、あと一、二年したら結婚しようと考えていた。そのことを彼女にも伝えてあった。彼女は、はっきりとは同意しなかったけれど、さほど否定的なこともいわなかった。だから僕はそのつもりで貯金を始めていたのだ。

ところが、である。

急にあんなことをいいだすとは夢にも思わなかった。一体彼女に何があったのだろう。

2

突然の別れ話からちょうど一週間後の夜、華子から電話がかかってきた。僕の声を確認すると、「一体どういうつもりなのっ？」と彼女は詰問調でいった。

「えっ、どういうつもりって……」

「あなた、先週の日曜日に何があったか、覚えてないの？」

「何がって……デートした時のことかい」

「そうよ。あなた、あたしにフラれたでしょ？　まさか、そのことを自覚してないっていうんじゃないでしょうね」

華子は、すこぶる機嫌が悪いようだ。声が、がんがんと僕の鼓膜に衝撃を与える。

「自覚してないわけないじゃないか。あんなにきっぱりといわれたんだから」

「じゃあ、ショックを受けたのね」

「そりゃそうだよ。いきなりだもんな」

「だったら」彼女が息を吸う気配があった。「どうして何もしないの？」

「何もって……」

「この一週間よ。あなた、あたしに対して何もしてこなかったでしょ」

「ああ」

「それ、どういうことよ」

「どういうことって……」いいながら僕は頷《うなず》いた。彼女の怒っている理由を察知した。

この一週間、僕はとうとう電話をしなかったのだ。少し冷却期間を置いたほうがいいと思ったからだ。しかし、どうやらそのことが気に食わなかったらしい。

なんだ、やっぱり連絡を待ってたんじゃないか——僕は途端に安堵《あんど》した。

「君が頭を冷やすのを待ってたんだよ。でもどうやら君も、馬鹿なことをいったと後悔しているようだね」ちょっと余裕の口調でいってみた。

「後悔？　あたしがどうして後悔しなきゃいけないの」

「だからその、何が原因かは不明だけど、あの時は虫の居所が悪くて、心にもないことを口走っちゃったんだろ？　だけど自分から謝るのもバツが悪いので、僕からの電話を待っていたってことじゃ——」

「ふざけないでっ」僕がいい終わらぬうちに彼女はいった。「あたしは後悔なんてしてないわよ。それよりあなたはどうなの。あたしにフラれたままでいいの？　何とかしようとは思わないの？」

「そりゃあ思うよ。だから、時期を見て、話し合おうかと……」

僕の話の途中から、彼女が何度も舌打ちをする音が聞こえ始めていた。

「まだわかってないのね。あたしはあなたと話し合う気はないの。別れるっていったでしょ」

「だからどうして急にそんなことを」

「ええい、じれったい」華子は吐き捨てた。「あたしはあなたのそういうところが嫌なのよ。あなた、あたしのことをどう思ってるの？　好きなの？　嫌いなの？　別れたいの？　別れたくないの？」

「す、好きだよ。別れたくないよ」僕はしどろもどろになって答えた。

「だったら、こういう時にするべきことがあるでしょう？」

「するべきこと？　だからそれは話し合うってことじゃあ……それとも、プレゼントでもほしいの？」

「あなた馬鹿じゃないの。男をふった女が、その男のプレゼントを受け取ると思う？」

「だってさあ」僕は電話機を持ったまま、もう一方の手で頭を掻《か》いた。「わかんないよ。一体何がしてほしいの？」

「あたしがしてほしいんじゃないわよ。どっちかっていうと、あたしはしてほしくないことよ。でも、あなたはすべきなの。あたしのことを愛しているならね」

華子の言葉に僕は混乱した。頭が痛くなってきた。

「何がなんだか、さっぱりわからないよ。勘弁して、教えてくれよ」

懇願すると、強く息を吹きかける音が聞こえた。彼女がため息をついたらしい。

「手間のかかる人ね。そんなんだからダメなのよ。仕方ない、特別に教えてあげる。いい？　男が好きな女にふられたら、することは一つでしょ。ストーカーよ」

「はあ？　何だって？」

「聞こえなかったの？　ストーカー。す・と・お・か・あ」

「ストーカーって……あのストーカーかい」

「そう。決まってるじゃない。自分の愛を受け入れてもらえない時、男はストーカーになるのよ」

「ちょっと待ってくれ。僕が君のストーカーになるのか？」

「そうよ」

「馬鹿いうなよ。僕はそんなものにはならない」

「どうして？」

「どうしてって……」ますます頭が痛くなってきた。

「テレビ見たことないの？　時々、ストーカーを特集した番組をやってるでしょ。あの中でストーカーたちは決まってこういってるの。彼女を心から好きだからしているんだ、ほっといてくれって。つまり、あれは一種の愛情表現なのよ」

「そうかなあ」

「やりたくないの？」

「気が進まないよ」

「ふうん。それほどはあたしのことが好きじゃないということね。もう別れちゃってもいいという意味ね」

「いや、そうじゃないけど」

「わかった、もういい。ストーカーもできないっていうんじゃ、あなたの愛情も所詮《しょせん》その程度だったってことだから。じゃあね」

「あっ、ちょっと待って……」

電話は切れていた。

3

翌日、僕は会社を出た後、華子がバイトしている居酒屋へ行ってみた。店に入っていくと、いつも通り彼女は法被《はっぴ》を着て、客の注文を取っているところだった。僕は空いた席に座った。

やがて華子は僕に気づいたようだ。どういうわけか、眉間《みけん》に深い縦皺《たてじわ》を作って近づいてきた。

やあ、と僕は声をかけた。

彼女はぶっきらぼうにオシボリを置いた。「何しに来たのよ」

「何しにって……ストーカーを」

「ストーカー？」

「うん。あれからいろいろ考えたんだけど、君のいうとおりにしてみるよ。それで、こうして君に会いに来たってわけ。ストーカーってのは、あれだろ。好きな人につきまとえばいいわけだろ」

僕の話を聞いて、華子はげんなりした表情を見せた。

「ストーカーってのは、もっと陰気で、こそこそしているものなの。物陰からじっと見ているというのが正しいストーカーよ。あなたみたいに能天気な声で、やあ、なんて声をかけたりもしないの」

「あ、そうなのかな」

「堂々と、こんなところまで入ってきたりもしないの。あたしが出てくるまで、電柱の陰かなんかで待ってるものよ。やる気があるなら、もっと勉強してちょうだい」

「はあ、すみません」つい頭を下げてしまった。しかし、どうして僕が謝らなきゃいけないんだろう。

「ビール一杯だけ飲んだら出てって。ここはストーカーの来るところじゃないんだから」

華子はそういうと、くるりと背中を向けて行ってしまった。

仕方なくいわれたとおり僕はビール一杯だけで店を出た。しかし都合のいい電柱が近くになかったので、向かいの喫茶店に入ることにした。ありがたいことにそこはマンガ喫茶だった。僕は時折窓の外に目を向けながら、『ドカベン』を読んだ。

十一時少し過ぎに華子は店から出てきた。僕は喫茶店を出て、彼女の後を追った。すぐに追いついたが、五メートルほどの距離を保ちつつ僕は歩いた。

ところが突然華子が立ち止まり、こちらを振り返った。

「ちょっと近づきすぎじゃない？」

「えっ、そうかな。でも、あまり離れると見失っちゃうからさ」

「そこは何とか工夫しなさいよ」

「はあ、工夫ねえ……」難しいもんだな、と僕は思った。

「それから」と彼女はいった。「あなた、今までどこで何をしてたの？」

「何をって、君を待ってたんじゃないか」

「向かいの喫茶店にいたでしょ」

「うん。だって、適当な場所がなかったし、何時間も待ってるのは退屈だから……」

するとと華子は腰に手を当て、ほとほとあきれたというように首を振った。

「マンガを読む片手間に、ストーカーをしようってＩの？　ずいぶんといい御身分ね」

「いや、そういうわけじゃないけど」

「ストーカーというのは、執念の塊《かたまり》じゃないといけないのよ。それなのに、退屈ってことはないでしょ。ストーカーをするなら、もう少し誠意を見せたらどうなの。怠慢は許さないから」そういって彼女は踵《きびす》を返すと、足早に歩きだした。

五メートルでは近すぎるといわれたので、約十メートルに距離を延ばして僕は尾行を続けた。彼女は時折振り返り、僕の様子を窺《うかが》ってくる。

同じ電車に乗り、同じ駅で降りて、同じ方向に歩いた。やがて華子の住むマンションが近づいてきた。女性専用のマンションだ。

オートロックのドアを開け、彼女はマンションに入った。最後にもう一度だけ彼女はこちらを見た。僕は電柱の陰から見守っていた。

彼女の部屋は三階だ。僕は通りから見上げ、部屋の窓に明かりがつくのを確認した。少ししてカーテンが少し動いた。彼女もこちらを見たようだ。

これで御役御免《おやくごめん》だと思い、僕は歩きだした。しかし十メートルほど行ったところで携帯電話が鳴りだした。

「もしもし」

「どこへ行くつもり？」華子の声だ。

「どこへって……帰るんだよ。もう用はないだろ」

「何いってるの。肝心なのは、これからじゃない」

「えっ、まだ何かあるのかい」

「決まってるでしょ。ストーカーというのはね、相手の帰宅を確認したら、即座に電話をかけるのよ。そうすることで、ずっと見張ってたってことをアピールするんだから」

「ははあ、なるほどねえ」

「わかったら、きちんとしてちょうだい」一方的にいって、彼女は電話を切った。

やれやれ。

元の場所に戻り、僕は携帯電話で彼女の部屋に電話した。呼び出し音が三度鳴った後、彼女は電話に出た。「もしもし」

「僕だけど」

「何か用ですか？」さっきとはうって変わった抑揚のない声だった。

「用って……君がかけろっていったんじゃないか」

「用がないなら切りますから」そういって彼女は本当に切ってしまった。

何だ、これ。どういうことだ。かけろっていうから、かけたのに。

まあいいやと思い、僕は再びその場を去ろうとした。ところがまたしても携帯電話が鳴った。

「どこ行くのっ」今度の声は明らかに怒っていた。

「電話はかけたじゃないか。そうしたら、君のほうから切っちゃってさ……」

「一回切られたぐらいでめげて、どうするのよ。何度もかけるのがストーカーでしょ」

「えー」

「じゃ、切るからね。あんまり世話を焼かせないで」

僕は携帯電話を持ったまま首を捻《ひね》り、もう一度彼女の部屋にかけてみた。ところが何度か呼び出し音を鳴らしたところ、「ただいま出かけております。御用のある方は――」という例の留守番電話のメッセージが流れてきた。

「なんだよ、どうして留守電なんだよ」電話に向かって僕はいった。この声は向こうの電話機のスピーカーから聞こえているはずだ。「そっちが電話に出ないんじゃ仕方がない。じゃあ、もう切る。明日、また電話するから」

僕は携帯電話を切ろうとした。だが僕の親指がボタンを押す直前、「バカッ」と華子の声が聞こえた。

「あー、びっくりした。どうして電話に出ないんだよ」

「変な電話がかかってきたら、留守電にしちゃうのは常識でしょ。でも、だからといって、あっさり引き下がっちゃだめじゃない」

「じゃあ、どうしろっての」

「あなたの話を聞かせるのよ。一方的にしゃべりまくればいいの」

「一方的にねえ……でも、一体何の話をすりゃいいんだ。落語家じゃあるまいし、相手の受け答えがないのに話すなんて、結構大変だぜ」

「あたしの話をするのよ。今日一日のあたしの行動についてだとか、あたしの最近の生活について話をすればいいの。聞いてるほうとしては、どうしてそんなことを知っているんだろうって、気味悪くなるでしょ。それが狙《ねら》いよ」

「へえ」

「わかったわね。じゃ、もう一度やり直し」

命じられるまま、改めて電話をかけた。今度も留守電になっている。僕は息を吸った。

「ええと、君は今日、専門学校に行ったはずだ。その後、バイトに行った。それから、十一時過ぎに店を出て、十二時五分頃《ごろ》家に着いた。以上」

今度こそもういいだろうと思ったが、電話を切る前に華子の声がした。「レーテンッ」

「えっ、何だって？」

「零点っていったのよ。何よ、それ。子供が絵日記描いてるんじゃないわよ。もっとほかに気のきいたことをいえないの？」

「そういわれても、この程度のことしかいえないよ」

「ほかにもっとあるでしょう。あたしが今朝《けさ》何を食べたかだとか、昨日部屋で何をしてたかだとか」

「そんなこと、僕が知ってるわけないじゃないか」

「どうして知らないのよ。ストーカーのくせに。ストーカーは何でも知ってなきゃいけないんだからね」

「そんな無茶な」

「何が無茶よ。とにかく、明日からは、もうちょっとましなストーカーぶりを発揮してちょうだい。わかったわね」

早口でまくしたて、彼女は電話を切った。

4

次の日、フレックスタイムを利用して、僕はいつもより二時間も早く会社を出た。その後、華子が通う専門学校の前まで行った。彼女が出てくると、十メートルほど間を置いて尾行した。もちろん彼女は気づいている様子だ。その証拠に、時折ちらちらとこちらを見る。

真《ま》っ直《す》ぐバイト先に向かってくれればいいものを、華子は途中で本屋に寄ったり、ブティックを覗《のぞ》いたり、デパートの化粧品売場に立ち寄ったりと忙しい。そのたびに僕は店先を監視できる場所を探し、彼女が出てくるまで待たねばならなかった。

ようやくバイト先の居酒屋に着いた時には七時近くになっていた。僕は昨日のことを思い出し、喫茶店には入らず、二十メートルほど離れたところにあるポストのそばで彼女を待った。待ちながら、今日これまでの彼女の行動を手帳にメモした。メモを終えた後もその場を離れず、居酒屋の入り口に目を向けていた。退屈で死にそうだ。おまけに足が痛い。雑誌でも買ってこようかと思ったが、そんなものを読んでいるところを華子に見られたらますます厄介だ。

そばにある薬屋の店主が、何時間も同じ場所にいる僕のことを胡散臭《うさんくさ》そうに見ていた。昨日とほぼ同じ時刻に華子は出てきた。その頃にはこっちはもうくたくたである。しかし尾行は続けねばならない。

昨日と同様に、彼女のマンションの前までいった。部屋の明かりがつくのを待って、電話をかける。

「もしもし」

「あ、僕だけど」

「……何の用ですか」昨夜と同じ受け答えだ。

しかしここでこっちも同じことをいったら昨夜の二の舞だ。

「ええと、報告することがあるんだ」

「報告？」

「君は今日、午後五時過ぎに学校を出た。その後、駅前の本屋に入って、雑誌を買った。それからブティックに入っただろう。ワンピースとスカートのコーナーを行ったり来たりした後、結局何も買わずに店を出た。それだけじゃないぞ。デパートの化粧品売場でマスカラを買ったことも知っている。ストッキングを見て、財布を見て、バッグを見て、ようやくバイト先の居酒屋に向かった。どうだ、今いったとおりだろう」僕はメモを見ながらしゃべった。

華子は数秒間黙った後、「だめね」と、ため息まじりにいった。「その程度のことじゃ、ちっとも驚かない。昨夜あたしが宅配ピザの残りを食べたことだとか、昨日から生理が始まってることだとかいえないの」

「生理なのか」

「それすらも調べてないんじゃ論外ね」

「そんなこと、わかるわけないじゃないか。トイレにまではついていけないし」

するとまたしても彼女は少し黙った。ふう、と息をつく音が聞こえる。

「あなた、今日何曜日だったと思ってるの？」

「曜日？　火曜日だろ。ええと、日付が変わったから、もう水曜日というべきかな」

「火曜日は」彼女はいった。「燃えるゴミの日よ。火曜、木曜、土曜日がそうなの。燃えないゴミは月曜日」

「ふうん。でも、ゴミがどうかしたのかい」

「これだけいっても、まだわかんないの？　今朝、あたしもゴミを出したのよ。それを調べれば、いろいろとわかるはずでしょ。あたしの食生活のこととか生理のこととか」

「えー」僕は思わずのけぞった。「ゴミ袋を漁《あさ》るのか」

「漁るんじゃなくて、調べるのよ」

「同じことじゃないか。えー、そんなことまでしなきゃいけないのか」

「ゴミを調べるのはストーカーのセオリーよ」華子はぴしゃりといいきった。

5

翌朝、目が覚めると頭が重かった。少し寒気もする。体温を計ってみると、やはり熱があった。張り込みのせいで風邪《かぜ》をひいたらしい。会社の同僚に電話して、休む旨を伝えると、薬を飲んでもう一度布団にもぐりこんだ。今日はストーカーもお休みだ。

夕方まで眠ったら、幾分身体《からだ》が楽になった。そのかわりにくしゃみが出て、鼻水が止まらない。参ったなあと思っていたら、携帯電話が鳴りだした。嫌な予感がした。

「何してんのよっ」華子の声だ。予想通り、かなり怒っている。

風邪ひいちゃってさ、と僕は言い訳した。

「風邪ぐらい何よ。あなた、ストーカーを何だと思ってるの。遊び半分で出来ることじゃないんだからね。そもそも風邪をひくこと自体、気持ちがたるんでる証拠よ」すごい剣幕である。

「はあ、すみません」僕は素直に謝った。

「仕方ないわね。じゃあ、今夜の電話連絡は免除してあげる。ただし、明日はだめよ」

「うん、わかった。今夜はゆっくり眠って体力をつけて、明日からまたがんばるよ」

僕は殊勝にいったつもりだった。ところがこの台詞《せりふ》がまたしても彼女を怒らせることになった。

「何いってるの。ゆっくり眠ってる暇なんてないでしょ」

「えっ、どうして」

「あなた、ゆうべの話を忘れたの？　今日は水曜日よ。で、明日は木曜日」

「あ……」

彼女が何のことをいってるのかわかった。ゴミ漁り、じゃなくてゴミ調査のことだ。

「わかったよ。明日の朝早く起きて、ゴミを調べに行くよ」

「朝早くって、何時頃？」

「そりゃあ、七時とか八時とか……」

「ふうん。それでいいと思ってるの？」

「よくないか」

「あなたがどうしてもそんな時間に行きたいというなら構わないけど、きっと後悔することになると思うよ」

「どうして？」

「だって、その頃にはもういくつもゴミ袋が出てると思うもの。ここのマンション、独り暮らしの人ばっかりだから、前の晩から出しちゃう人も結構多いのよね。そんな中で、どれがあたしの出したゴミ袋かわかる？」

僕は電話機を持ったまま絶句した。たしかにそのとおりだ。気持ちが暗くなった。

「ま、好きにしてちょうだい」彼女は冷たくいい放った。

結局、夜遅くに出かけることにした。鼻は相変わらずむず痒《がゆ》い。ポケットにティッシュをどっさり詰め込んでおいた。

ゴミ置き場は、華子のマンションの裏にあった。少し離れたところに軽トラックが止まっていて、その陰からだとうまく監視できそうだった。僕はトラックの陰に隠れ、時折鼻をかみながら、彼女が現れるのを待った。まだ十一月だが、風は冬を感じさせるものになりつつあった。

華子はああいったが、前の晩からゴミを出す不心得者はいなかった。僕は膝《ひざ》を抱え、眠い目をこすりながら待った。この次はラジオかウォークマンを持って来ようと思った。

午前六時近くになり、そろそろ朝の雰囲気が漂い始めた頃、ようやくゴミ袋を持った者が現れた。グレーのスーツを着た女性だった。華子ではなかった。歳《とし》は三十過ぎというところか。やたらに太っていて、顔も大きかった。顔の大きさをカバーするつもりの髪形が全く似合っていなかった。その女性はゴミ袋を置いたあと、ちょっと周りを窺うように目線を動かしてから立ち去った。

次に現れたのが華子だった。華子は上下ピンクのスウェットという、ものすごい出《い》で立ちだった。眠い目が、一瞬にして醒《さ》めそうな色だ。

華子がいなくなるのを確認し、僕は立ち上がった。長い間座り込んでいたので、膝が固くなっていた。

僕は華子のゴミ袋に近づくと、周囲を気にしながら袋の口を開いた。途端に生ゴミの臭《にお》いが鼻孔を襲った。風邪で鼻がきかなくなっていたにもかかわらず、僕は思わず後ろに倒れそうになった。袋の中にメロンの皮が見えた。

その時だった。また一人、マンションから誰《だれ》か出てきた。僕は袋を開けたままにして、あわててその場を離れた。

現れたのは二十四、五の奇麗な女性だった。すらりと背が高く、長い髪がよく似合っている。切れ長の目が印象的だった。彼女は僕のほうには目もくれず、自分のゴミ袋を置いて立ち去った。

僕はほっとして元の場所に戻り、再び華子のゴミ袋の中を覗いた。生ゴミのほか、ちぎられた紙や雑誌などがほうりこんである。これを全部調べるのかと思うと気が重くなった。

背後で足音がした。僕はぎくりとして振り向いた。若い男が近づいてくるところだった。目が真剣だったので、僕のことを注意するつもりなのかと思った。だが彼は僕のことなど無視で、さっきの奇麗な女性が置いていったゴミ袋に駆け寄った。そしてポケットから取り出したマスクをつけ、手術用の薄いゴム手袋をはめると、鮮やかな手つきでゴミ袋の口をほどいた。

僕が呆然と見ているからだろう、彼のほうもこちらに目を向けた。

「何か？」怪訝《けげん》そうに彼は訊《き》いてきた。

「いや、あの……あなたもストーカーですか」

「ええ」彼は照れもせずに頷いた。「あなた、初顔ですね」

「はあ。それで、何というか、要領がわからなくて」

「最初は誰でもそうですよ。ははあ、メロンの皮ですか」彼はこちらのゴミ袋を覗き、マスクの上の目を細めた。「それ、きついんですよね。あと、エビとかカニの殻」

「参っちゃいました」

「これ、貸してあげますよ」彼はポケットからマスクと手術用手袋を出してきた。「万一のことを考えて、いつも予備を持ってるんです」

「あ、どうもすみません。助かります」

僕はその両方を身に着けた。おかげで少し作業がやりやすくなった。

彼は自分のほうのゴミ袋に手を突っ込むと、何か取り出した。薄いピンク色の紙だ。

「これは大吉饅頭《まんじゅう》の包みだな。駅前の和菓子屋で売っているんです。彼女、これが大好物でね。あまり食べすぎると太るって、いつも注意しているんですが。おっ、しかも三個も食べている。いかんな、これは」

「彼女が一人で食べたとはかぎらないでしょう」

僕がいうと、彼はかぶりを振った。

「会社の帰りに和菓子屋で饅頭を買って以後、彼女はずっと一人です。誰も部屋に訪ねてきていません。おそらく、昨夜女友達と長電話をしている最中に食べたんでしょう」

自信たっぷりな口調に、僕は心から感心してしまった。ストーカーとは、こうでなきゃいけないんだなあ。

その時、また一人、ゴミ袋を持った女性がやってきた。小柄だがなかなかチャーミングだった。僕は逃げようとしたが、隣の彼は黙々と作業を続けている。

女性も僕たちのことを気にした様子もなく、ぽんとゴミ袋を置くと、行ってしまった。

その直後、どこからかまた男が現れた。彼は僕たちに会釈した。

「おはようございます」隣の男が挨拶《あいさつ》した。「今朝はそちらのゴミ、少なそうですね」

「彼女、昨日まで実家に帰ってましたからね」後から来た男が答える。「おや、新人さんですか」僕を見ていった。この男もストーカーらしい。

どうぞよろしく、と僕はいった。

「こちらこそ。ええと、どちらの部屋の女性の……」

「三〇五です」華子の部屋番号をいった。

「ああ、あの派手な女性の。それはそれは」男は合点がいったというように頷いた。このマンションのことは熟知しているということらしい。かなりのベテランなのだろう。

そこへまたゴミ袋を持った女性がやってきた。ごつごつした、岩石を連想させるような女性だった。目や口は岩の割れ目に見えた。そのくせ服装は少女趣味だ。

彼女は僕たちを見て、ちょっと何かいいたそうにしたが、結局何もいわずにゴミ袋を置いていった。

「四〇二だ」後から来た男が呟《つぶや》いた。「ありゃあ、だめだな」

「邪魔なんだよな、ここに置かれると」隣の男が岩石女性の置いていったゴミ袋を移動させた。一番最初に現れた、太った女性が置いていったゴミ袋の隣だ。

この後もマンションの女性住人たちはゴミ袋を捨てにきた。それらのゴミ袋のいくつかには、ストーカーがついていた。そうでないゴミ袋は、端に積まれていった。

二人のストーカー師匠のアドバイスを受けながら、僕は華子のゴミを調べていった。調査を終えてその場を去る前に、僕はストーカーたちが見向きもしないゴミ袋の山に目をやった。

それらは何となく寂しそうに見えた。

臨界家族

1

四階までの階段は長かった。三階まで上がったところで川島哲也《かわしまてつや》はひと休みした。来週の会議用の資料を仕上げるのに手間取り、すっかり遅くなってしまった。景気がよかった頃《ころ》は、これで残業手当がたっぷり入るとほくそ笑んだものだが、今は残業時間が厳しく管理されていて、いくら遅くまで働いてもちっとも懐は潤わない。ただ疲れるだけだ。それでもリストラされるよりはましかと思い、川島は再び階段を上がりだした。

玄関のドアを開けると妻の智子《ともこ》がダイニングの床に這《は》い蹲《つくば》っていた。

「何やってるんだ」

「ああ、あなた。お帰りなさい」智子は夫の顔をちらりと見ただけで、前髪をかきあげると、四つん這いのまま再び床に目を凝らし始めた。

「パパ、お帰りなさーい」奥の部屋から優美《ゆうみ》が出てきた。今年、四歳になった娘だ。

「やあ、ただいま」川島は娘に笑いかけた後、改めて智子に訊《き》いた。「何か探してるのか。

またコンタクトレンズか」

「ホロリンリングの玉」

「ホロリン……何だって？」

「ホロリンリーング」優美がうれしそうにいい、手に持っていた玩具《おもちゃ》を振り回した。透明の管を環状にしたもので、中にはカラフルなボールがいくつか入っている。彼女が振ると、中のボールががちゃがちゃ鳴った。

「優美っ」智子の厳しい声が飛んだ。「それ、置いときなさいっていったでしょ。また蓋《ふた》が外れたらどうするの」

　優美は口を尖《とが》らせ、玩具を胸に抱えたまま後ずさりした。

　川島は思い出した。ホロリンリングとは、今、優美が抱えている玩具の名前だ。何かのアニメキャラクターが持っているものらしい。二週間ほど前の日曜日に、デパートで買ってやったのだった。

「ははあ、中のボールが出ちゃったのか」

「そうなのよ。遊んでるうちに、蓋が外れちゃったらしいの」

「だってこれ、ボールを出して遊ぶんだもん」

「一つずつ、気をつけて出しなさいっていったでしょ」智子の声が尖る。

「ぶちまけちゃったのか」

川島の問いに、智子はうんざりした顔で頷《うなず》いた。

「部屋中に転がった。拾い集めるのに、すごい時間がかかってるんだから」時計を見て、さらに顔をしかめた。「もう一時間以上探してるのよ」

「見つからないのか」

「あと一つだけね。そこら中を探してるんだけど」

「ふうーん」

我関せず、という態度で川島は寝室のドアを開けようとした。ところが彼の背中に妻の声が飛んできた。

「ちょっと、あなたも探してよ」

「ええー、俺《おれ》がかよ。勘弁してくれよ、疲れてるんだぜ」

「あたしだって疲れてるわよ。たぶん冷蔵庫の下だと思うのよね。ちょっと動かしてみてくれない？」

「そんなもの、一人で動かせるかよ」川島は目を剥《む》いた。

「大丈夫。キャスターがついてるから、少し傾ければ動くはずよ」

「やめようぜ。明日にしようや。俺、腹が減ってるんだ」川島はネクタイを外した。

　すると智子は優美のほうを見て訊いた。「明日でもいい？」

「だめだめだめー」優美は激しくかぶりを振った。「明日、まどかちゃんたちと遊ぶんだもん。ホロリンリングないとやだ」

「あるじゃないか」

「ホロリンボールが一個ない」

　ホロリンボールというのが、中の玉の名称らしい。

「いいじゃないか、一個ぐらい。我慢しなさい」

「やだやだやだー。やだよー」泣きだした。

　川島はげんなりした顔を作り、ネクタイと鞄《かばん》を椅子《いす》の上に置いて、冷蔵庫に近づいた。

　それから約一時間、ホロリンボール探しが行われた。しかし紛失した最後の一個はどこにもなかった。冷蔵庫の下にもなかった。

　川島は一層疲れきった気分で、遅い夕食をとった。おかずの唐揚げは冷めていた。智子は電話をしている。優美はいつの間にか寝てしまった。

　電話を終えた智子が川島の向かい側に座った。少し表情が和んでいる。

「柳原《やなぎはら》さんに訊いたらね、ホロリンボールの予備、売ってるんだって」

　柳原さんというのは、先程名前の出たまどかちゃんの家である。同じ団地内だ。

「やっぱりそうか。きっとなくす人が多いんだろうなあ」

「よかった。これで泣かれずに済むわ。明日、買いに連れてってくれるでしょ」

「せっかくの土曜日に、また玩具売場に行くのか。疲れるんだよな、あそこは」

「ボールを買ったら、すぐに帰ればいいじゃない」

「それで済めばいいけどな。それに、予備ったって、一個ずつ売ってくれるわけじゃないんだろ。十個とか二十個とかがパッケージになってるんじゃないのか」

「それはわからないけど……」

「ちぇっ、不経済なんだよな」川島は箸《はし》を置き、テーブルの上にほうりだしたままになっているホロリンリングを手に取った。持つところには派手な飾りがいっぱいついており、スイッチを押すとぴかぴか光るという仕掛けだ。幼稚園児に与えるには豪華すぎるという気がしないでもない。

その飾りの一つが蓋になっていて、中のボールを取り出せるようになっていた。

「ちょっと気をつけてよ。今度ばらまいたら、またいくつかなくなっちゃうわよ」

「わかってるよ。ふーん、ちょうどビー玉ぐらいの大きさだな、これ」川島は中のボールを取り出し、掌《てのひら》の上で転がした。「そうだ。ビー玉を入れときゃいいんじゃないか。どうせ同じガラス玉なんだし」

「だめよ」

「どうして？」

「ホロリンボールは赤、青、黄色、オレンジと決まってるんだもの。それ以外のボールなんか入れたら、優美はきっと狂ったように怒るわよ」

「そこまで細かいことをいうか？　あんな子供が」

「馬鹿ねえ。子供だからいうんじゃないの。嘘《うそ》だと思うなら、一度優美たちの遊びに付き合ってごらんなさいよ」

「わかったよ。ホロリンボールの予備を買いにいきゃあいいんだろ」ホロリンリングを置き、川島は再び箸を動かした。

2

翌朝、川島はテレビの音で起こされた。隣の布団では智子がまだぐーぐー寝ている。

「おい、何だ、あのテレビの音は？」智子の身体《からだ》を揺すり、川島は訊いた。

智子は顔をしかめながら薄目を開けた。

「えっ？　テレビ？　ああ、優美が見てるんでしょ。『スーパープリンセス・あかねちゃん』の時間だから」

「スーパープリンセス？　ああ、あのホロリンリングが出てくるアニメか。そうか、土曜日の朝にやってたのか」

「今頃、何いってるのよ。あなたはいつも寝てるから知らないでしょうけど、毎週この時間になると優美はテレビの前から離れないのよ」

「そうなのか」

川島はごそごそと布団から這い出し、寝室を出た。テレビは隣の居間に置いてある。智子がいったとおり、優美はその前で座っていた。手に例のホロリンリングを持ち、真剣な目で画面を見つめている。

その画面の中では、大きな目をしたヒロインが、どうやら悪役と思われる奇妙な怪物たちと戦っているところだった。ヒロインはひらひらしたショッキングピンクのコスチュームを身に着けている。そして彼女の手にはホロリンリングが握られていた。

ホロリンリーング、といってヒロインがそれを振った。するとそこから赤や青の光が発せられた。それを見て悪役たちは逃げ出した。優美も喜んで玩具を振り回している。

だが一匹だけ逃げない怪物がいた。どうやらボスのようだ。俺様にはそんなものは通用しないのさ、とかいいながらヒロインに襲いかかっていく。それでもヒロインはひるまない。じゃあ、これならどうかしら、といって何か棒のようなものを取り出した。両端がぴかぴか光るバトンだ。

「ペンポロバトンだっ」優美が叫んだ。

ヒロインがそのバトンを振ると、さらに強力な光が発せられたようである。敵の怪物はあっという間に溶けてしまった。ヒロインはポーズを決めた後、颯爽《さっそう》と去っていく。他愛《たわい》のないストーリーだな、と川島は思った。だが彼の娘は熱狂して、エンディングテーマを歌っている。

その後、画面に川島を憂鬱《ゆううつ》にさせるCMが映った。たった今見たヒロインと同じ格好をした女の子が、ヒロインと同じ武器を持って戦っているのだ。一つは優美が持っているホロリンリングだ。そしてもう一つが、最後に出てきたペンポロバトンだった。

「新兵器ペンポロバトン新発売、これであなたも完璧《かんぺき》に、『スーパープリンセス・あかねちゃん』になれるっ」

またくだらないものを売り出してやがる、と川島は苦々しい思いで見ていた。そんな彼の心境を知ってか知らずか、優美が、「欲しいなー」と小声でいった。川島は聞こえないふりをして立ち上がった。

昼過ぎに親子揃《そろ》って家を出た。行き先はいうまでもなくデパートの玩具売場である。

団地の出口のところに、柳原夫妻と一人娘のまどかがいた。スーパーにでも行ってきたらしく、夫妻はそれぞれ二つずつ白い袋を提げていた。

やあ、どうも、こんにちは、と、どちらからともなく挨拶《あいさつ》を交わした。娘を通じての知り合いである。つまり、この団地で最も大切にしなければならない人間関係、ということにもなる。

「これからデパートでお買い物？　いいわねえ」妻のほうが優美と智子の顔を交互に見ながらいった。「例のスペアを買いに行くのね」

まあねえ、と智子は愛想笑いをする。

「参っちゃいましたよ」川島は亭主を見て苦笑した。「たかが玩具に大人が振り回されている感じです」

「でも、子供たちにとっては大事なことだから」亭主は穏やかな顔つきでいった。おっとりした性格のようだ。

川島は何気なくまどかを見た。同時に、ぎくりとした。彼女が手に持っているものに見覚えがあったからだ。まずい、と思った。早くこの場を離れなければ——。

「あっ、ペンポロバトンだっ」だが彼の意に反して優美は気づいてしまった。そう、まどかの持っているものは、つい先程テレビで見た、『新兵器ペンポロバトン』だったのだ。

「この間、買ってもらったの」まどかが天真爛漫《てんしんらんまん》にいった。「ユウミちゃんも買ってもらえばいいのに」

川島はその口に拳骨《げんこつ》を突っ込みたくなった。

「さっ、行こうか。遅くなっちゃうからね」彼は優美の手を引っ張り、歩きだした。

3

長引く不景気のせいで、土曜日の午後というのにデパートには人気《ひとけ》が少なかった。紳士服売場などは閑古鳥が鳴いている。家計費削減の最初のターゲットにされるのが父親の洋服代ということかと、川島はちょっと情けない気分になった。

対照的に子供服売場には活気がある。そしてもっと活況を呈しているのが玩具売場だった。ここでは親子連れだけでなく、若いカップルの姿も少なくなかった。

歩くのに疲れて抱っこをねだっていた優美が、ここへ来ると途端に元気になった。デモンストレーション用の玩具が置いてある場所に、自分で勝手に走っていく。

こんなところでうろうろしていたら、また優美に何をねだられるかわからない。その思いは智子も同様らしく、ホロリンボールのスペアを入手すべく、すぐに店員に近づいていった。

ところが二言三言交わした彼女は、困惑した顔で戻ってきた。「ないんだって」

「ない？　売り切れなのか」

「そうじゃなくて、元々そういう商品はないそうよ」

「そんな馬鹿な。柳原さんはあるっていってたんだろ」

「うん。柳原さん、何か勘違いしてるのかな」

「よし、俺が訊いてやる」

川島は、ついさっきまで智子が話していた若い男性店員に近づいていった。眼鏡《めがね》をかけた小柄な男だ。

川島はホロリンボールのスペアについて改めて質問した。

「いや、あの、ホロリンボールのスペアというのは発売されていないんです」店員はおどおどした様子で答えた。

「そんなはずないけどな。だって知り合いから聞いてきたんだ」

「ええとですね、それはたぶんスーパープリンセス宝石箱だと思うんですけど」

「宝石箱？　そんなもの欲しくないよ。欲しいのはホロリンボールなんだ」

「はい、わかっております。あの、ちょっとお待ちください」そういうと店員は一旦《いったん》どこかへ消え、一分ほどして戻ってきた。「これがスーパープリンセス宝石箱です」

店員が差し出したのは、ごてごてとした飾りのついた安っぽい箱だ。これがどうしたというのだ。中を見て川島はびっくりした。例のガラス玉、いいかけた川島の前で店員は蓋を開けた。中を見て川島はびっくりした。例のガラス玉、つまりホロリンボールが入っていた。

「これだ。これが欲しいんだ。君、このボールだけくれ」

「せっかくですが、そういうわけには」店員は宝石箱の蓋をぱたんと閉めた。

「何でだよ。うちが欲しいのは中のボールだけなんだ。外側の変な箱はいらない」

「でも中のボールは宝石箱のおまけとして入っているわけでして、バラバラにお売りするわけには……」

「だけどさあ」

「あなた」智子が川島の服の袖《そで》を引っ張った。「周りの人が見てるじゃない。諦《あきら》めて宝石箱を買いましょうよ」

川島は彼女に対しても何かいい返そうとした。しかしたしかに周囲の客たちが、彼等《かれら》を見てくすくす笑っているようだった。川島は舌打ちをし、店員に訊いた。「いくら？」

「二三〇〇円でございます」

川島は目を剝いた。「ガラス玉一個を買うのに二三〇〇円かよ」

智子が再び夫の服を引っ張る。川島は渋々財布を取り出した。優美は『スーパープリンセス・あかねちゃん』のコーナーでうろうろしている。目の毒だなと彼は思った。

商品を眺めていた川島が、ある一点で目を止めた。その目を見開いた。

「おい、ありゃあなんだ」

彼が指したのは大きな箱が並んでいるコーナーだ。その箱は一部が透明になっていて、そこから透けて見えるのは、『スーパープリンセス・あかねちゃん』のコスチュームに相違なかった。今朝テレビで見たアニメのヒロインが着ていたものと全く同じだ。

「コスチュームでしょ」あっさりと答えたところを見ると、智子はすでにこれの存在を知っていたらしい。

「あんなものまで売ってるのか」

「靴も別売りであるはずよ。それからウィッグも」

「ウィッグって、かつらのことか」

「そう」

「何とまあ。だけど、あんなのを買う人は殆《ほとん》どいないだろう」

「それがそうでもないの。最終的には、子供はあれを欲しがるらしいのよね。コスチュームもアクセサリーも全部身に着けて遊ぶのが、正式なアニメキャラクターごっこらしいから」

やれやれ、と川島は頭を振った。少し頭痛がしてきた。

「まったくもう、あくどい商売をするよなあ。アニメ人気に便乗して、子供が欲しがりそうなものを次々に売り出そうって魂胆だ。売るほうはいいだろうが、買わされるほうはたまったものじゃない。俺たちが子供の頃だって、テレビ番組のヒーローの関連グッズはあったけど、これほどじゃなかったぜ」

「あたしたちの頃とは概念が全然違うのよ」

「概念?」

「キャラクターグッズというものの概念が、よ。そもそもここにある商品は、アニメ人気に便乗して作られたものではないの。アニメと一緒に開発された商品なのよ」

「うん? どういう意味だ」

「たとえばあなたの子供の頃だと、キャラクターグッズといえば仮面ライダーのベルトとかでしょ」

「ああ、そうだな。ライダーベルト。俺は持ってなかったけど」

「でもそれって、本物とは少しデザインの違うものじゃなかった? たとえば、細かい細工に手が抜いてあるとか」

「そりゃそうだろ。本物と全く同じデザインに作ろうとしたら、原価が高くなっちまうだろうからな」

「女の子の場合も同じ。ヒロインの持っているアクセサリーが宝石をちりばめたものだとしても、それを玩具にすると、宝石の数がすごく少なかったり、単に宝石をちりばめた写真を貼《は》ってあるだけだったりしたわけ」

「それはいえる。機械の複雑なスイッチなんか、玩具になると、スイッチの絵を描いてあるだけだった」

「今の子供たちは、それじゃ納得しないのよ。別に本当にレーザー光線とかは出なくてもいいけど、形は全く同じじゃないと嫌なの。あなた、今朝アニメを見たならわかると思うけど、優美の持ってるホロリンリング、ヒロインが持ってるのと全く同じだったでしょ」

「そういやそうだった」

「でしょ。今はそうでなきゃいけないの。となると、アニメが先にあって、それに便乗した玩具を作るという発想じゃだめなのよ。玩具として商品化できることを前提に、アニメの主人公たちの小道具が考えられるわけ。逆にいえば、キャラクターグッズを生み出せないアニメキャラクターには存在価値はないということね」

「なるほどなあ」川島は感心した思いで妻の横顔を見た。「でも、そこまでわかっていながら、どうしてみんなは玩具会社の策謀に振り回されてるんだ」

「わかってても抜け出せないアリ地獄だからよ」智子はやけに冷めた声でいった。

4

半ば予想したことだったが、優美はあっさりと玩具売場から立ち去ろうとしなかった。例のペンポロバトンを見つけ、買ってほしいとぐずりだしたのだ。

川島は、絶対に買わないと断言した。元々、子供に何でもかんでも与えすぎるのはよくないと思っている。智子から聞かされた玩具メーカーとアニメ会社の陰謀説にも不快感を覚えていた。

「この前、ホロリンリングを買ってやったばかりじゃないか。今日ここに来たのは、中のボールを買うためだ。諦めなさい」

べそをかき始めた娘の手を強引に引っ張り、川島は玩具売場を離れた。

その時は自分の行動の正しさに自信を持っていた。何でもかんでも子供のいいなりに買ってやる親とは違うぞ、という気概に溢《あふ》れていた。

ところが——。

翌日の夕方、優美が半べそをかきながら帰ってきた。そして居間の隅で、しばらく泣き続けていた。優美はそれまで、あのまどかちゃんたちと一緒に遊んでいたはずだった。そのために、新しいボールを補充したホロリンリングを持っていったのだ。

夕飯の時もまだ優美はすねていた。なぜか父親の顔を見ようとしない。

事情を知ったのは、彼女が眠ってからだった。川島がスポーツニュースを見ながらビールを飲んでいると、智子が声をひそめて話し始めた。どうやら優美は、ペンポロバトンを持っていなかったことで、みんなと楽しく遊べなかったらしいのだ。

「なんだ、あれを持っていないってことで、仲間外れにされるのか」

「仲間外れというわけじゃないみたい。でも、スーパープリンセスはやっちゃいけないんだって」

「やっちゃいけないって？」

「主人公みたいな振る舞いはしちゃいけないってことよ。スーパープリンセスはホロリンリングとペンポロバトンの二つを持ってなきゃいけないんだって。ホロリンリングしか持ってないのは、プリンセスガールズという親衛隊なんだって。昨日のアニメで、そういうふうになってたらしいの」

わけのわからない片仮名が頻発したので、川島はちょっと混乱した。

「とにかく優美は、その親衛隊をやらされてるわけか」

「そうよ」

「別にいいじゃないか。親衛隊だって」

「だって、ほかの子はみんなスーパープリンセスなのよ」

「みんなって、主役がそんなにたくさんいてもいいのか」

「それは別に構わないらしいの。あの子たちなりのルールがあるそうよ」

「へえ」

理解しがたい話だった。川島は首を振りながらビールを飲んだ。

「ねえ、かわいそうだから、買ってやろうか」智子が上目遣いをした。

「その、なんとかバトンをか」

「ペンポロバトンよ」

「だめだ、だめだ」川島は手を振った。「すぐにそういうことをいうから、堪《こら》え性《しょう》が身に着かないんだ。少しは我慢することも覚えさせなきゃ。それに、何でもかんでも皆と一緒にする必要はない」

ビールを飲み干し、寝るぞ、といって彼は立ち上がった。

　だが二週間後の土曜日、川島たちの姿はまたしてもデパートの玩具売場にあった。ペンポロバトンを買うためだった。この二週間、優美は全く川島に口をきいてくれなかったのだ。さすがの川島も、これには参った。つまり根負けしたというわけだ。

「いいな、これが最後だからな。もう、絶対に買わないぞ」

「あたしにいわないでよ」

「大体おまえが甘いからいけないんだ」

「何よ、優美に嫌われてへこんだのは自分じゃないの」

　店員がペンポロバトンを包装するのを待ちながら、夫妻は小声でいい争った。その間も二人の目は優美に注がれている。優美は相変わらず、『スーパープリンセス・あかねちゃん』のキャラクターグッズ・コーナーにいる。あんなアニメ、早く終わっちまえばいいのに、と川島は思っている。

「ちょっと嫌なことをいうようだけど」智子が声を低くしていった。

「なんだ」川島は訊いた。不吉な予感がした。

「柳原さんのところ、あのコスチュームを買ったそうよ」

「あのコスチュームって、まさか……」川島は優美が見ている、一際大きな箱に目をやった。「あの、『スーパープリンセス・あかねちゃん』のコスチュームか」

「そう。靴もウィッグも揃えたらしいわ。今じゃまどかちゃんは、完璧にアニメのヒロインと同じよ。優美が羨《うらや》ましそうに話してた」

「だからどうなんだ。まどかちゃんだけだろ、そんな格好をしてるのは」

「それがねえ、ルミちゃんとかマリコちゃんも、買ってもらうようなことをいってたらしいのよね。そんなことになったら、また優美だけ見劣りするわけだけど」

「だめだぞっ」川島は鋭くいい放った。「冗談じゃない。あんなもの買えるか。こっちはもう何年も、スーツの一着だって買ってないんだ。それなのに、なんであんな変な服を買わなきゃいけないんだ。絶対だめだからな」

「わかったわよ。大きな声出さないで。恥ずかしいじゃない」

だめだからな、と川島は小声で繰り返した。心の中では智子が以前いったアリ地獄という言葉が反響していた。

5

玩具メーカー『タコラ』、新製品開発室――。

定例の会議が始まっていた。役員、室長、開発部員の総勢二十名が席についていた。最初に立ち上がったのは、開発部員Aだった。

「次のアニメの概要が大体固まりましたので御報告します。タイトルは『キューティーデビル・くろみ』です。キャラクターはこれです」

開発部員Aはパネルを持ち上げた。そこには全身黒ずくめの美少女が描かれていた。頭に角が二本、お尻《しり》からは尻尾《しっぽ》が生え、背中にはコウモリの羽がついていた。

「黒か」役員が渋い顔をした。「子供相手に、黒というのはどうかな」

「お言葉ですが常務、最近の子供のお洒落《しゃれ》感覚はかなり大人に近づいておりまして、大人の女性が黒い服をひとつの定番として必ず持っている昨今、女の子たちにも黒いコスチュームはうけるのではないかというのが、部員全員の一致した意見でして」室長が遠慮気味に、しかし自信を含ませた口調でいった。「それに基調を黒にすることにより、これまではあまり使用しなかった色のキャラクターグッズも出せると考えております」

「ほう、たとえば？」

「まずこのヒロインが最初に手にする武器はキューティーバトンというものですが」開発部員Aがイラストを取り出す。「金色を考えております。こういうものです」

そこに描かれているのは、透明のパイプの中に金色のボールが並んでいるという感じのバトンだった。両端には、やや丸みを帯びたハート型の飾りがついている。

「なるほど、ホロリンリングと同様にボールが入っているわけか」常務は頷く。「その中のボールは当然取り出せるわけだな」

「もちろんです」開発部員Aは答えた。「しかもボールはホロリンリングよりも少し小さめにする予定です」

「ほう。それはなぜかね」

「じつはホロリンリングのボールは、ビー玉とほぼ同じ大きさなのです。そのためボールを紛失した場合でも、ビー玉で代用されてしまうというケースが少なからずあったのです。そこで一回り小さくして、それを防ごうというわけです。さらに付け加えますと、これよりもう少し小さくしてしまいますと、今度はパチンコ玉で代用されるおそれが出てきます。逆にビー玉より大きくするという案も出ましたが、冷蔵庫の下などに入って紛失するケースが減るということで、この大きさに落ち着いたというわけです」

「スペアのボールも別売りするわけだな」

「もちろんです」

「今度はどういうふうにやる？　また宝石箱に詰めて売り出すか」

「その予定です。ただし今度はキューティーアクセサリーセットという形で発売します。ブレスレットとかイヤリングとかもつけて、単価を高くするわけです。その中のネックレスの一つ一つの玉が、バトンの中に入っている玉と共通なのです」

「わかった、了解」常務はOKサインを出した。「ところで、そのバトンの両端は妙な形だな。キューティーデビルという以上は悪魔なんだろう？　悪魔の武器なんだから、先は槍《やり》みたいになってたほうがいいんじゃないのか」

「アニメのデザインとしては、そのほうがいいのですが、玩具にすることを考えますと、先が尖っているというのは危険であろうということで、この形になりました」

「そうか。子供に怪我《けが》をされちゃかなわんからな」常務は納得顔でいった。

この後も新製品に関する報告が次々になされた。そして最後に現状報告である。

開発部員の柳原が立ち上がった。

「えー、『スーパープリンセス・あかねちゃん』のグッズですが、相変わらず順調に売れています。で、ここで御報告ですが、S地区の臨界点であるKさんのお宅が、とうとうコスチューム一式を購入しました」

彼の言葉に、おう、というどよめきが上がった。

「そうか、とうとうKさんのところも買ったか」

「やったな」

「ついに、という感じだね」

皆の反応がおさまるのを待って柳原は続けた。

「つまり、『スーパープリンセス・あかねちゃん』ファンの女の子は、ほぼ全員がコスチュームを購入したと考えていいでしょう。そこで、今週末には早速、ヒロインのコスチュームを一新したいと思います」


川島家、土曜日——。

「なんだよ、どうしてうちが買った途端にヒロインの衣装が変わるんだよ」

川島はテレビを両手で摑《つか》み、揺すった。彼の横では優美が大泣きしていた。彼女は、先週までのヒロインと同じコスチュームを着ていた。新品だった。

笑わない男

1

そのホテルの前に立った時、拓也《たくや》は一瞬声を出せなかった。ただ高くそびえる建物を見上げていただけだ。相方の慎吾《しんご》も同様で、隣であんぐりと口を開けている。

「ほら、何をぼうっとしてるんだ。早く歩けよ」マネージャーの箱井《はこい》が命令口調でいう。

「いや、でも箱井さん、ここなんすか」拓也はホテルの正面玄関を指していった。そこでは制服を着たボーイが待ちかまえている。彼等《かれら》はこれまでまともなボーイのいるホテルには泊まったことがなかった。

「そうだよ。ここが今夜の宿泊場所だ」

「えー」慎吾が驚きと歓喜の混じった顔をした。「すげえじゃないすか。こんなすげえホテル、入ったことないっすよ。本当に今夜、ここに泊めてもらえるんすか」

「そうだ。興行主のほうに手違いがあったらしくて、最高ランクのホテルを予約しちまったそうだ。急いで別のホテルを手配しようとしたらしいが、生憎《あいにく》今夜はどこも満室で、結局ここでってことになった」

「うほー、ラッキー」慎吾は指を鳴らした。

箱井は口元を歪《ゆが》めた。

「喜んでる場合じゃねえぞ。てめえらがもうちょっといい芸を見せてくれてたら、先方だって、最初からホテルを替えようとは思わなかったはずなんだ。今頃《いまごろ》はあっちの責任者がどやされてるだろうさ。あんな三流芸人のために、高級ホテルなんか手配しやがってってさ」

それをいわれると返す言葉がなかった。二人は黙ってうなだれた。

ホテルに入ると拓也は中を見回して嘆息した。こんなところにふだんから泊まってる人間もいるんだなあと純粋に感心した。

草野球程度なら十分にできそうな広さがある。そこにオープンスペースのラウンジがあり、レストランがあった。床は鏡のように磨き込まれ、あわてて歩けば滑って転びそうだ。天井からは豪華なシャンデリアがぶらさがり、ロビーには社長が座りそうな椅子《いす》が並んでいる。壁も手すりも柱も、柱のそばに置いてある灰皿でさえも光り輝いていた。

別世界だ、と拓也は思った。語彙《ごい》の乏しい慎吾は、すげえすげえと騒いでいる。

箱井がフロントでの手続きを済ませて戻ってきて、封筒を差し出した。

「一五一三号室だ。これが夕食と明日の朝食のクーポン券だ」

「箱井さんはここには泊まらないんですか」

「俺《おれ》は別の宿だ。高級ホテルは売れっ子タレントだけに用意すればいいってことだろう」

棘《とげ》のある皮肉を混ぜていった。「明日は十一時に迎えに来る。遅れるなよ」

わかりました、と二人が頭を下げている間に、箱井はくるりと向きをかえて出口に向かった。

「あれ、部屋の鍵《かぎ》は？」慎吾が訊《き》いた。

「もらってねえよ」

えー、と慎吾がのけぞった時、グレーの制服を着た長身のボーイが寄ってきた。

「御用件がお済みでしたら、お部屋まで御案内させていただきますが」

拓也は瞬《まばた》きしてボーイの顔を見たが、相手は特別なことをいったつもりはないようだ。

その手には部屋の鍵が握られている。

「あ、じゃあ、お願いします」

「お荷物をお持ちいたします」そういうとボーイは、拓也の足元に置いてあった汚いスポーツバッグを提げた。さらに慎吾のリュックに目を向けた。「お客様のお荷物も、どうぞ」

「あ、いえ、俺はいいです」

「そうですか」ボーイは頷《うなず》き、ではこちらへ、といって歩きだした。

拓也は慎吾と共についていきながら、ボーイの制服の折り目を眺めた。アイロンをかけたばかりのように、ぴしっとついている。服自体の仕立ても良さそうだ。俺たちの服よりもよっぽど上等そうだぞと彼は思った。

部屋に案内され、拓也はここでも目を丸くした。ツインだからベッドが二つあるのは当然だが、ちょっとした応接セットまで揃《そろ》っている。

ボーイは非常口などの説明をした後、「何かございましたら、電話でどうぞ」といって出ていった。最後まで鉄仮面のように表情を変えなかった。

「うほっ、すげえぞ」慎吾がミニバーに並んでいる酒を見ていった。「ブランデーもある。飲み放題だ」

「馬鹿だな。飲んだ分だけ後で請求されるんだよ。箱井さんにどやされるぞ」

「そうなのか、じゃあ目の毒じゃんか」

「それより腹が減った。夕食を食べに行こうぜ」拓也はさっき渡された封筒を開いた。すると中からクーポン券と一緒に一枚の紙が出てきた。「うん？　何だ、これは」

そこには次のように書いてあった。

『明日うけなかったらクビだ。せいぜい最後の夜を楽しめ』

「おい、大変だ。これを見ろ」

「何だよ、うるせえな」まだ洋酒の瓶から目が離れない様子の慎吾だったが、メモを見て目を剝《む》いた。「げっ、やばいじゃん」

「やべえよ。どうしよう」拓也はベッドに倒れ、頭を抱えた。

2

二人はお笑い芸人だった。一応、コントと漫才を持ち芸にしている。中学時代の同級生で、二人が話しているとすごく面白いと皆からいわれたことに自信をつけ、お笑い系タレントを多数抱える花木《はなき》プロの養成所に入ったのだ。

それから五年が経つ。この世に自分たちほど笑いの才能を持つ者はいない、という自信はすでに消失していた。同期の中には、テレビのレギュラー番組を持つ者もいるが、二人は未《いま》だにスーパーの開店祝いや、祭りの余興でしか芸を披露できない身分だった。今までクビにならないでいたのは、芸人にしてはルックスがいいという特徴を買ってもらっていたからだ。拓也と慎吾という芸名にしても、某アイドルから拝借したものである。本名は義昭《よしあき》と安雄《やすお》という、いたって地味なものだ。

今回は、地方都市が行っているラーメン祭りの座持ちとして呼ばれたのだが、それにしても本来決まっていたタレントが盲腸で来られなくなったためのピンチヒッターである。今日と明日の二日間の仕事だ。

「やっぱり、今日の俺たちはだめだったかねえ」慎吾が頭を掻《か》きながらいう。

「だめだろ、あれじゃ」

「うーんそうだなあ。全然うけなかったもんなあ」

「うけなかったなんてもんじゃない。お笑いをやってるというより、催眠術の講習会みたいだった。客の半分以上が眠ってたからな」

ははは、と慎吾は笑った。「それ、いいじゃん。ネタに使える」

「ふざけるなよ。崖《がけ》っぷちなんだぜ」拓也は箱井からのメモをひらひらさせた。

「そんなことといってもさあ、笑ってくれないんだからしょうがねえじゃん」

「それじゃ済まないだろ。明日までに何とかしないと」

「でもその前に腹ごしらえしようぜ。腹が減って何も考えられないよ」

夕食は一階のレストランで、ということだった。エレベータで下りようとすると、先程の鉄仮面のようなボーイが乗ってきた。この階の担当らしい。彼は会釈をひとつして操作盤のほうに向いた。

ところが一階に着き、拓也たちが降りた後、「お客様」とボーイが声をかけてきた。「お召し物が」そういって慎吾のジーンズの前を掌《てのひら》で示した。

見ると、ジッパーが下がり、派手な柄のトランクスの生地がはみ出ている。

「おっ、いけねえ」慎吾はあわててジッパーを上げた。その時、指を挟んだ。「いてて」

ボーイは無表情のまま、もう一度頭を下げてから去っていった。

「いやあ、格好悪かった」レストランに入ってから、慎吾は改めていった。「ほかの客に会わなくて助かったよ」

「だけどあの鉄仮面みたいなボーイ、くすりとも笑わなかったな」

「そういう訓練をうけてるんだろ。客の失敗を笑ってたら感じわるいじゃんよ」

「それにしたって、笑いをこらえるのは大変だと思うけどな」拓也はボーイの顔を思い浮かべた後、「そうだ」といって人差し指を立てた。「何とかして今夜中に、あのボーイを笑わせてみないか」

「えー、何のために」

「もちろん芸を磨くためさ。あいつが笑うほどの芸なら、会場の客を爆笑させられるはずだ」

「そりゃそうかもしれないけど、一体どうやって笑わせるんだ」

「そいつをこれから考えるんだよ。期限は明日のチェックアウトまでだ」

もしそれができなければ俺たちは終わりだ、と拓也は付け加えた。

3

エレベータの扉が開き、鉄仮面が降りてきた。

「どうもすみません。うっかりしちゃって」拓也は謝った。

「一五一三号室でございましたね」ボーイは足早に歩きだした。

彼等の部屋の前には観葉植物の大きな鉢植えが置いてあった。拓也たちがエレベータホールから持ってきたものだ。そしてその向こうに慎吾が立っていた。

彼は全裸だった。股間《こかん》を葉っぱで隠している。

だがボーイはそれを見ても表情を変えず、「お寒くありませんか」と尋ねた。

「シャワーを浴びようと服を脱いだところだったんです」慎吾はいった。「そしたらこいつが急に外から呼ぶものだから、あわてて飛び出して、ドアを閉めちゃったんです」

「よくあることでございます」そういうとボーイはマスターキーを取り出し、簡単に錠を外した。ドアを開け、どうぞ、といった。全く笑っていない。

「えーと」慎吾は迷った様子を見せた後、鉢植えの葉っぱを一枚ちぎりとり、股間に当てた。一物が丸見えなのは、わざとである。

「お客様」ボーイが別の葉っぱをちぎった。「こちらのほうがよろしいかと」

それは少し大きめの葉っぱなのだった。

「ああ、はい」慎吾は情けない顔になって受け取った。

部屋に入ると、拓也はドアスコープで外を覗《のぞ》いた。もしかしたらボーイは客のいないところで笑うのではと思ったのだ。だが彼は黙々と鉢植えを運んでいるところだった。

「大失敗だ」拓也はいった。

「苦笑いさえされなかった。よくあることだって、軽くあしらわれたぞ」

「うーん、ちょっとまともすぎたかな」拓也は再びベッドに横たわった。「裸で部屋を出てインドアロックするって話はよく聞くもんな」

「今頃いうなよ。ちぇっ、恥ずかしいだけだったじゃんよ」慎吾は服を着て、テレビのスイッチを入れた。

「テレビなんか見てる場合じゃないぜ」

「どういう番組をやってるか、確かめてるだけだよ」慎吾はプログラム表を手に、椅子に座った。途端に顔を緩めた。「へええ、おい、こんなホテルなのにアダルトビデオがあるぜ」

「まさか」

「本当だよ。ほら」

プログラム表を見ると、たしかに有料チャンネルのほうで、その手の番組を流しているようだった。

「客はみんな気取ってるけど、やっぱり好きなんだねえ」慎吾はにやにやした。

「ホテル側も、そういうスケベ心を見抜いてるってことだろ。……待てよ」拓也は上半身を起こした。「よし、今度はこれを使おう」


（はい、ベルボーイ・カウンターでございます）真面目《まじめ》くさった声が聞こえた。

「あの、テレビの調子がおかしいんですけど」

（は？　どのように）

「映らないんです。おかしいなあ、有料チャンネルなんですけど」

（わかりました。すぐに伺います）
一、二分してノックの音がした。ドアを開けると鉄仮面が立っていた。
「何度もすみません」拓也はいった。

「いえ。テレビの調子が悪いとか」

「そうなんです」

ボーイは窓際のテレビに近づいていった。その画面は青一色で、何も映っていない。

「おかしいですね」ボーイはそういってテレビの後ろを覗き込んだ。だが間もなく、「ああ、なるほど」と安堵《あんど》したように呟《つぶや》いた。

じつは有料チャンネルの受信機とテレビとを繋《つな》いでいるケーブルが外れているだけなのだ。もちろん拓也たちがやったことである。

ボーイはテレビの後ろに手を入れ、ケーブルを繋いだ。

その途端、画面に裸で絡み合う男女の姿が大写しになった。あえぎ声がスピーカーから漏れてくる。

さすがに少しは表情を変えるだろうと拓也はボーイを見た。しかし彼は鉄仮面の顔で画面を凝視している。そこに映っている内容よりも、映り具合のほうを確かめている目だった。女性の裸体など、眼中にはないようだ。そのまま二人を見上げた。

「これでよろしいでしょうか」声にも口調にも変化はなかった。

「えっ、あっ、はあ……」慎吾は立ち尽くしている。

「あれ、おかしいな」拓也は画面を見ていった。「ちゃんと映ってないよ」

「えっ」そんなはずはない、という表情でボーイは画面を見た。

画面では女性がフェラチオをしているところだった。その口元を指して拓也は続けた。

「だって、ほら、ちらちらして見えないよ」

モザイクがかかっているのだから、見えないのは当たり前だった。これでこいつも笑うだろうと待ち構えた。

「お客様」だがボーイは落ち着いた声でいった。「我が国の法律では、あまりに過激と思われる性描写を映像で行うことは禁じられているのです。そういった部分には何らかの処置を施して、見られないようになっています。このちらちらしたものもその一種です。残念ながら、これ以上のものはお見せできかねます」

「ああ……見えないんだ」拓也は呟いた。

「誠に申し訳ございません」ボーイは心底気の毒といった様子で頭を下げた。

拓也は慎吾と顔を見合わせた。もはや打つ手がなかった。

「あの」ボーイが顔を上げた。「そういうことですから、これは故障ではございません。御了承いただけますでしょうか」

「ああ、はい」拓也が頷いた。「どうも御苦労様」

「御迷惑をおかけいたしました。また何か不具合がございましたら、お申し付けください」ボーイは最後まで申し訳なさそうな顔で部屋を出ていった。二人はそれを呆然《ぼうぜん》と見送った。

4

「要するに下ネタはだめだということだ」拓也はそう結論づけた。「こういうホテルというのは、男女でエッチ目的に泊まることも多いわけだろ。だから下半身に関するトラブルには連中も慣れてるんじゃないか」

「ここのボーイになりたいな」慎吾がまんざら冗談でもない口調でいった。

「性欲関係がだめということなら、食欲ならどうだ」拓也はテーブルの上に置いてある、ルームサービスのメニューに手を伸ばした。

「それをどうするんだよ」

「まあ、見てなって」拓也は電話の受話器を上げ、番号ボタンを押した。

「もしもし、ルームサービスでございます)

「もしもし、カレーライス、コーヒー、ライスを一つずつお願いします」

(かしこまりました。カレーライス、コーヒー、ライスがお一つずつということで。あり

がとうございます。すぐにお持ちいたします）

「よろしく」拓也は電話を切った。

「変な注文の仕方だな。ライスは余分じゃねえのか」いってから慎吾は手を叩《たた》いた。「あ
あそうか。一つ分のカレーを二つのライスにかけようってことだな。頭いいねえ」

「この局面でそんなこと考えてるわけないだろ。いいからいうとおりにするんだ」

拓也は指示を出した。慎吾は、「げっ、そんなことするのかよ」と渋い顔になった。

「笑いのためだ。我慢しろ」

彼がそういった時、ノックの音がした。

「お待たせいたしました」鉄仮面ボーイがトレイに食器を載せて現れた。「どちらにお運
びすればよろしいですか」

「テーブルの上にお願いします」

テーブルでは慎吾がすでに椅子に座り、料理が置かれるのを待ち構えている雰囲気だ。

ボーイは彼の前に料理を一つずつ置いていく。その間に拓也は伝票にサインした。

「あーっ」慎吾が突然大声を出した。「頼んだものと違うっ」

ボーイの顔が、さっと険しくなった。「違いますか」

「違うよ。こんなのは頼んでない」

拓也は料理に目を走らせ、舌打ちをした。「あっ、本当だ。彼のいうとおりだ。やっぱり間違えてる」

「ええと」ボーイは伝票を確認した。「カレーライスとコーヒーとライス……ですよね」

「いや、違うんです」

「はあ？　どのように違うわけですか」

「こんな別々になったものなんて食べたくなーい」慎吾がだだっ子のように足踏みした。

「怒るなよ。こうすればいいんだ」拓也はコーヒーポットの中身をライスの上にぶちまけた。白い米飯がたちまち茶色に染まる。

慎吾がそれをフォークですくって食べた。途端に目を輝かせる。

「おお、これぞ俺の求めてた味だ」彼はがつがつと食べ始めた。「最高のコーヒーライスだあっ」フォークを高々と上げた。

「コーヒーライス？」さすがの鉄仮面も目を白黒させている。

「そうです。カレーライスとコーヒーライスを一つずつ」拓也は指を二本立てた。

これで相手は笑いだしてくれるはずだった。

だがボーイは笑わなかった。黙って慎吾の食べる様子を見つめていたが、やがて会釈を一つすると部屋を出ていった。

後に残された二人は、閉じたドアをしばらく見つめていた。

「だめじゃん」慎吾がフォークを投げ出した。「全然だめじゃん。ちっとも笑わないじゃん。びっくりして、気味悪がってただけだ」

「いけると思ったけどなあ」

「こんな不味《まず》いものを食ってこれかよ。うええ気持ち悪い」慎吾は水を飲んだ。

「ちょっとハイブロウ過ぎたのかな」

「わかりにくいよ。ひねりすぎだ」

慎吾がそういった時、再びノックの音がした。拓也が開けるとボーイが立っていた。

「コーヒーライスはフォークでは食べづらいだろうと思いまして」ボーイはよく磨かれたスプーンを差し出した。

5

ノックの音がした。ドアの向こうには鉄仮面が立っていた。

「バスローブに不具合がございましたか」丁寧な口調で彼はいった。

「うん、どうもサイズがおかしいらしい」拓也は後ろを振り返った。

「サイズというより、形がおかしいと思うんだけどね」

バスローブを身に着けた慎吾が現れた。その格好を見れば、誰《だれ》もが異様に感じるはずだった。何しろ彼はバスローブを上下逆さまに羽織っているのだ。つまり襟の部分が腹のあたりにきており、本来は胴体を覆うべき部分が首を包んでいるのだ。おまけに腰ひもをネクタイのように首のところで結んでいる。

ボーイはじっと彼を見つめていた。今にも噴き出すのではと拓也は期待した。

「失礼いたしました」だがボーイは真面目な顔のまま頭を下げた。「当方の手違いで、そのような不良品を備えておりましたことをお詫《わ》びいたします。すぐにお取り替えいたします」そういうと彼は持っていたバスローブを広げた。「それをお脱ぎになっていただけますか。こちらのものと着替えていただければと思います」

「あ、はあ」間抜けな格好をした慎吾は、逆さに着たバスローブをのろのろと脱ぎ始めた。そのままボーイが広げたバスローブに手を通した。

「これでいかがでしょうか」腰ひもを締め、ボーイは訊いた。

「はあ、ええと、いいと思います」慎吾はいった。

「大変ご迷惑をおかけいたしました。また何かございましたら、すぐにお呼びください」

ボーイは慎吾が脱いだバスローブを手にし、うやうやしく頭を下げて出ていった。

拓也と慎吾は顔を見合わせた後、どちらからともなく床に座り込んだ。

ノックの音がした。例によって鉄仮面が現れた。

「何かお困りになっていることがおありだとか」

「ええ。じつは友人は、子守歌を聞きながらでないと眠れないそうなんです。それで今夜は特別に僕が歌ってやることにしたんですが、どうもうまく眠れないと友人はいいます。そこで何がいけないのかを考えていただきたいのです」

「ははあ」ボーイは戸惑った顔をした。「私にわかればいいのですが」

「とりあえず聞いていただけますか」

「はい、では、どうぞ」

拓也は深呼吸を一つし、歌いだした。すぐにベッドの中で慎吾が身悶《みもだ》えし始めた。

芸ではあまりうけない拓也だが、これだけは絶対に人を笑わせる自信があるというものがある。それが歌だった。彼は子供の頃からひどい音痴だったのだ。自分ではまともに歌っているつもりなのだが、どうやら人にはそう聞こえないようだ。彼の歌を聞いて笑わなかった者など、これまでに一人もいなかった。

ところが、である。

ボーイは最後まで聞き終えても、眉《まゆ》ひとつ動かさなかった。それどころか、拍手までしたのである。

「素晴らしいと思います」それが第一声だった。「前衛的といいますか、とにかく非常に個性にあふれた歌唱法だと思います」

歌を聞いて笑わないだけでなく、褒め言葉まで飛び出したので、拓也は面食らった。

「ただ、人を眠りに誘《いざな》うという点から見ますと、少々奇抜といいますか、刺激的すぎるかもしれません」ボーイは直立不動の姿勢をとった。「私の後に続いて声を出してみてください。あーあーあー」

見事なバリトンの声をあげた。

「ああ、ああ、あああ」拓也も真似《まね》てみる。

「肩に力が入りすぎています。全身を楽にしてください。あーあーあーあー」

「あああ、あああ、あー」

「少しよくなりました。はい、もう一度。あーあーあー」

「ああ、あー、アアー」

レッスンは明け方まで続いた。

6

「俺、もう田舎《いなか》に帰ろうかなあ」慎吾がため息まじりにいった。朝食の最中である。

「あれだけやっても、ボーイ一人笑わせられないんだもんな。才能ねえんだよ、やっぱり」

拓也は答えずに、黙々とモーニングセットを口に運ぶ。しゃべらないのは喉《のど》が痛いからだ。昨夜のレッスンで、喉が腫《は》れるほどに声を出した。よく苦情が出なかったものだと思うが、幸いというか不幸にもというか、近くの部屋は空室だったようだ。

もうお笑いはやめようかなと拓也も考えていた。自分たちがじつは大して面白くない人間だということは、痛いほど自覚していた。

レストランを出てロビーのほうに行くと、例のボーイが歩いていた。さすがに二人の顔は覚えたらしく、彼等を見て立ち止まった。

「本日、お発《た》ちでございますか」

「ええ、まあ」と拓也が答えた。

「そうですか。何かといたらぬことがありまして、本当に申し訳ありませんでした」彼は深々と頭を下げた。

頭なんか下げなくてもいいから笑ってほしかったよなあ、と拓也は思った。

「こちらこそ、いろいろと本当にお世話になりました」

拓也がそういった横で、慎吾がリュックに手を突っ込み何か出してきた。

「素晴らしいホテルで、余は満足じゃっ」彼はそれを頭にかぶった。昨日、コントで使用した殿様のかつらだった。

慎吾としては最後の勝負に出たつもりなのだろう。だがせっかくの切り札も空振りに終わったようだ。空虚な沈黙が三人を包んだ。ボーイは顔の肉ひとつ動かさず、ちょんまげをつけた慎吾の顔を見つめていた。

「ははあ」ボーイが口を開いた。「そういったお仕事をなさっているのですか」

「ええ、まあ」慎吾は素の表情に戻ってかつらを外した。

「難しいんでしょうね」

「そうですね」と拓也は答えた。今は心底そう思う。

「やっぱり手先の器用な方でないとだめなんでしょうか」

「いや、別にそういうことは」

「でも、髪の毛を一本一本植え付けていくわけでしょう？」

「はあ？」拓也はボーイの鉄仮面のような顔を見返した。「一体、何のことをいってるんですか」

「いや、ですから、かつら職人をしておられるわけですよね」彼は二人を交互に見た。

全身からどっと疲れが出るのを拓也は感じた。

「違います。僕たち、お笑い芸人なんです」

「お笑い……」

「見りゃあわかるでしょう。でなきゃ、昨日からあんなに変なことばっかりしませんよ」

慎吾の口調は少し怒っていた。

「お笑い芸人さん？　お二人が？」

そうです、と二人は声を揃えて答えた。

鉄仮面のボーイはしばらく彼等を見つめた後、口を開いた。

「面白い御冗談を」

そして彼は斜め下を向き、かすかに笑った。

奇跡の一枚

1

遥香《はるか》が学生食堂でスパゲティを食べていると、不意に人影が前に落ちた。顔を上げると二人の女子学生が彼女を見下ろしていた。二人共、同じゼミの仲間だ。

「出来てきたよ。この間の写真」ショートヘアの里佳《りか》が椅子《いす》に座った。

「山中湖に行った時の写真？」

「うん」

「うまく撮れてるかなあ。あの頃《ころ》のあたしって、ちょっと顔がむくみ気味だったのよね」

そういったのは彩花《あやか》だ。長身で、整った顔立ちをしている。

里佳がテーブルの上に写真を広げた。山中湖周辺の風景が、あまり上手とはいえない腕前で撮影されていた。風景の手前には、ゼミで見慣れた顔が並んでいる。その中には遥香の姿もあった。

この夏、ゼミで旅行した先が山中湖だった。教授や助教授も一緒で、参加者の総数は十名だった。

「あっ、これ奇麗に撮れてる。花火がうまく写るかどうか心配だったんだけど」

「あー、これひどーい。目を閉じちゃってるよ。セルフタイマーで撮った時だ。風が強かったからさあ、我慢できずに瞬《まばた》きしちゃったんだよね。ちぇっ」

「ちょっとこれ見てよ。教授の奴《やつ》、顔が真っ赤っかだぜ。若い娘《こ》に囲まれたからって、舞い上がるんじゃねえよ」

「あー、あたし、なんか写真写りわるーい。丸顔っぽく写ってるう」

旅行での思い出を語りながら三人で写真を眺めていた時のことだ。里佳が一枚の写真を手にして首を傾《かし》げた。

「あれ、これ誰《だれ》？」

「なになになに？」彩花が横から覗《のぞ》き込んだ。

「この真ん中に写ってるコだけど……」

「えっ？　だって青いシャツを着てるんだから……」

二人が同時に遥香を見た。それから写真に目を戻し、また彼女の顔に視線を向けた。二人とも目が丸くなっている。

「遥香……なんだろうね」里佳が呟《つぶや》く。

「うん」彩花が頷《うなず》く。「だと思うよ、やっぱり」

「何よ、どうしたのよ」そういいながら遥香は里佳の手から写真を奪い取った。その写真には三人の女の子が写っていた。両端は里佳と彩花だ。そして真ん中にいるのは――。

「えっ」遥香も一瞬絶句した。

「驚いたでしょ、本人も」彩花が半笑いの表情で訊《き》いた。

「これ……あたし？」

「だってその服装、あの時の遥香じゃない。そういうシャツ着てたし」里佳がいう。

「そうだよね」遥香は改めて写真を見た。写真に写った自分の姿をこれほどしげしげ眺めたことは、これまでには一度もなかった。

彩花の手が伸びてきて、遥香の手から写真を取った。それがあまりに強引だったので、遥香は思わず心の中で叫んでいた。その写真を手荒に扱わないでちょうだい――。

「うーん、やっぱり遥香だよね。遥香だと思って見れば、そう見えるもん」

「だよねえ」里佳が横から覗き込み、写真と遥香とを見比べた。「ふうーん、角度によってはこんなふうに写ることもあるんだ」

「別人みたいだよね」

「うんうん。全然別人っぽい」

二人が驚きの声を漏らすのを遥香は複雑な思いで聞いていた。角度や光の加減で、写真に写った顔が実物とずいぶん違うというのは、よくあることだ。にもかかわらず二人がこれほどしつこく驚嘆しているのは、その写り方が特殊だからである。

はっきりいうと実物よりもかなり美人に写っているのだ。陰影のおかげで太めの体形がごまかされているだけでなく、目鼻立ちもくっきりしていて、まるでアイドルタレントのようである。

だがさすがに里佳も彩花も、「実物よりもきれいに撮れてるね」とはいわなかった。それが彼女たちなりの思いやりなのだろう。

「その写真のあたしって、かなり写真写りいいよね」彼女たちを楽にさせてやるつもりで遥香はいった。

二人は呪縛《じゅばく》を解かれたように安堵《あんど》の表情を見せた。

「うん、この写真の遥香はすっごくかわいい」と里佳。

「実物もこんなふうだったら、きっとモテモテだよ」彩花も調子に乗っていう。

実物はブスで悪かったな——そう思いながらも遥香は浮き浮きしていた。

2

家に帰ると着替えもそこそこに、遥香は例の写真をバッグから取り出した。ソファに座り、じっくりと眺める。思わずにやにやしてしまう。

見れば見るほど美人なのだった。とても自分の顔とは思えない。ベストショットという言葉があるが、それ以上の出来映えだった。

遥香はスタンド式の鏡を持ってきてテーブルの上に立てた。そこに顔を映し、写真と見比べた。

途端に気分がトーンダウンした。

鏡に映っている顔は、とてもアイドルタレントのものとは思えなかった。お笑い芸人としてもきついかもしれない。最近の女性お笑いタレントというのは、なかなか美形揃《ぞろ》いでもあるからだ。いや、一昔前の喜劇女優だって、美人ではないにしてもそれなりに花があった。

大体、顔が大きすぎる、と遥香は自己分析するのだった。それがすべてをぶちこわしにしている。そのせいで細い目が余計に糸のように見えるのだ。そのくせ鼻だけは横に広がっている。たぶん顔の広がりに引っ張られている状態なのだろう。

これが現実なのだとがっかりして吐息をついた時、リビングのドアが開いて、兄の義孝《よしたか》が入ってきた。

「おっ、遥香、帰ってたのか。何してるんだ」

義孝は遥香よりも二歳上である。大学院に通っている。彼は彼女と違って、長身の身体《からだ》に反して小さな顔をしていた。彫りも深く、目も大きい。大学三年の時には、モデルにスカウトされたことさえあった。当然、すごくもてる。

「別に何もしてないよ」

「おっ、何だ、この写真」

「あっ、だめ」

遥香が隠そうとする前に、兄は写真を手に取っていた。彼は運動神経も抜群だった。

「へえ、これ何の写真なんだ」

「ゼミ旅行……」

「そうか。山中湖に行ったとかいってたよな。だけど、なんで、こんな写真を持ってるんだ」

「なんでって、今日、貰《もら》ってきたんだよ」

「でもこれ、おまえが写ってないじゃないか」

「写ってるよ。真ん中に」

「真ん中あ？」義孝は改めて写真に目を落とし、口をあんぐりと開けた。「おいっ、ここ、これが遥香かよ。嘘《うそ》だろ」

「嘘じゃないよ。よく見てちょうだい」

「何度見たって——」義孝は視線を写真と遥香の間で往復させた。やがて唸《うな》りだした。

「なに唸ってるのよ」

「いやあ、たしかにおまえだなあと思ってさ。ぱっと見た時はまるで別人だと思ったけど、よく見ると似てないこともない」

「当たり前じゃん。本人なんだから」返してよ、といって遥香は写真を取り返した。

「おまえさあ、もうちょっとメイクとか工夫しろよ。やりようによっては、その写真みたいに見えるってことだぜ」

「これでも工夫してるつもりなんだけど」ぶすっとして答えた。「でも、どうにもならないの。化粧でごまかせることと、ごまかせないことがあるの。ないものをあるようには見せられるけど、あるものをないようには見せられないの。このでかい顔は小さくならないの。横広がりの鼻が、細くなんてならないの。どうせだめなのっ」

「そうキレるなよ。写真に写ってるように見せかければいいわけだろ」義孝はいきなり彼女の顔を両手で挟むと、いろいろと角度を変えて眺めた。

「ちょっとお兄ちゃん、痛いよ」

「うーむ、一体どういうトリックだ。こんな顔がどうしてあんなに美人に写るんだろ」

「どうせあたしはこんな顔ですよ」遥香は兄の手を振り払った。

次にその写真を見て驚いたのは父の幸三《こうぞう》だった。夕食の味噌汁《みそしる》を飲みながら写真を見た彼は、ひどくむせて味噌汁をこぼした。

「あーあ、汚ねえなあ親父《おやじ》」

「ちょっとー、写真汚さないでよー」

「いや、すまんすまん。だけど驚いたなあ。これが遥香かあ。へー、大したもんだ」幸三は老眼鏡のレンズをタオルで拭《ふ》き、もう一度写真を手にした。レンズの奥の目が細くなっていた。

　幸三の顔は、頭が禿《は》げていることを除けば、遥香とほぼ同じ部品で構成されている。つまり彼女は圧倒的に父親似なのだった。一方義孝は、耳の形以外は、幸三にはまるで似ていない。幸三によれば、彼は死んだ母親にそっくりなのだそうだ。

「こうして見ると、やっぱり遥香も死んだお母さんに似てるんだなあ。うん、さすがに母《おや》娘《こ》だ。そっくりだ」幸三は写真を見て、しみじみといった。

「俺《おれ》もその写真を見て、俺に似てるなあと思ったんだよ」

「お母さんって、すっごい美人だったんでしょ」遥香は訊いた。母親が死んだのは彼女がまだ赤ん坊の時だったので、顔など全く覚えていないのだ。おまけにその母親の写真も残っていなかった。幸三によれば、カメラを買うお金がなかったらしい。

「美人だったぞ。嫁に来てくれっていう男がいっぱいいてな、中には医者だとか土地持ちだとかもおったらしい」父親はなぜか胸を張った。

「そんな美人がどうしてお父さんなんかと結婚したのよ」

「なんかって言い方はないだろ。そりゃあおまえ、人柄だよ。それに決まってるじゃないか。そうしてお母さんが俺を選んでくれたからこそ、今こうしておまえたちがいる。だからお父さんに感謝してくれなきゃな」遥香そっくりの顔をした幸三は、広がった鼻をさらに膨らませた。

何が感謝だよ、と遥香は思った。おかげでそのとばっちりがこっちに来たじゃないの、といいたいところだった。

子供の頃から、父親の顔にだけは似たくないと思ってきた。かっこいい兄のような顔立ちになれたらいいなと願っていた。しかしその祈りも空《むな》しく、遥香の顔は年々幸三に近づいていき、兄の顔からは遠ざかるのだった。親戚《しんせき》なども遥香を見るたびに噴き出す。あまりに似すぎているからだろう。だが彼女が年頃になると、誰もそのことに触れなくなった。幸三の顔に似ることは女性として致命的な欠陥だと暗にいわれているようで、そのこともまた彼女を深く傷つけていた。

お母さんに似ればよかったのに、と山中湖での写真を見てため息をついた。しかしこの写真が手に入ったことで、ある難問が解決すると安堵してもいた。

3

遥香は電子メールに凝っている。定期的にやりとりする相手が十名ほど、不定期に交わす相手を含めると五十人ほどメール仲間がいる。メールをくれた相手には、二、三日中に返事を出すのが彼女の主義だ。

だがじつは返事を出せない相手がいた。先方からのメールが届いたのが五日前だ。この五日間、彼女は悩み続けていた。

メールをくれた相手は吉岡《よしおか》トオルといって、あるバンドのファンクラブサイトで知り合った男性だった。チャットに参加した時に意見が合い、個人的にメールをやりとりするようになったのだ。インターネットを通じての交際だから、相手の姿は見たこともない。しかしメールによって、お互いに関するかなりの情報を交換し合っていた。吉岡は二十二歳の学生で、練馬区に住んでいるらしい。高校時代はバスケット部に入っていて、来年の春には大手電機メーカーに就職するそうだ。もちろん、すべての情報が真実であるとはかぎらない。しかし遥香は何となく、彼は嘘をついていないと思っている。

　その彼から先日届いたメールの文面は以下のようなものだった。

『先日のコンサート中継は見ましたか。僕は感激でしばらくぼーっとしてしまった。

　ところで遥香さんの旅行の話は楽しかったです。今度是非、その時の写真を送っていただけませんか。どんな女性なのか見てみたいというのが正直な気持ちです。とりあえず今回は僕の写真を送ってみました。これは先日の学園祭でのものです。』

　そして添付ファイルとして彼の写真が付けられていた。吉岡トオルは美形というわけではなかったが、ワイルドな雰囲気のある好青年という印象を抱《いだ》かせた。はっきりいって遥香のタイプだった。

　このメールを受け取って以来、彼女は悩んでいた。写真を送れば、彼はきっと失望するに違いない。といって、いつまでもごまかし続けることはできない。いっそのこと、友人の里佳や彩花の写真を送ってやろうかとさえ考えたが、そこまでプライドを捨てることはできなかった。相手を騙《だま》すのもいやだった。

でもこの写真なら——。

山中湖での写真を見て、彼女はにっこりした。これなら相手を失望させることはないだろうと思った。しかも騙すわけではない。これは間違いなく自分の写真なんだから。

義孝がスキャナーを持っているので、それを使って写真をパソコンに取り込み、簡単なメッセージと共に吉岡トオルに送った。これで問題は解決したと遥香は思った。

しかし問題は解決していなかった。むしろ複雑化させることになったといえる。

二日後に吉岡から届いたメールを見て、遥香は頭を抱えた。

『写真見ました。びっくりしました。だって遥香さんがこんなに美人だなんて、正直予想していなかったですから（失礼）。どっちかというと庶民的な感じなのかなあなんて思ってたんですけど、まるで女優さんみたいじゃないですか。

そこでお願いが二つあります。もっとほかに写真はありませんか。いろいろな遥香さんを見てみたいと思います。それからもう一つ。是非一度、直接会っていただけませんか。僕のほうは何とでもなりますから、遥香さんの都合のいい日を教えてください。お返事お待ちしています。』

写真を見た途端に会いたいといい出すなんてかなり調子のいい人だなあと思うが、若い男性としては当然かもしれないとも思った。それに、こうしてメール交際を続けているかぎり、直接会うという儀式はいずれ来るものと考えねばならなかった。
どうしよう——遥香はパソコンの前でしばらく動けなかった。

「遥香がその彼に嫌われたくないとすれば、方法は一つしかないね」ヨーグルトムースをスプーンですくいながら彩花がいった。

「どうすればいい？」遥香は泣きそうな気分で訊いた。

大学のそばにあるケーキショップに彼女たちはいた。彩花と里佳はケーキを食べているが、遥香は紅茶だけだ。食欲がないのだ。

「決まってるじゃん。嘘を本当にするのよ」

「えっ？」

「いい？　あの山中湖の写真に写ってる姿は嘘なわけでしょ。それを嘘でなくせばいいってことよ。徹底的に化けて、あの嘘の姿に近づければいいの」

「そんなに嘘、嘘っていわないでよ。別に嘘じゃないと思うけど、あの写真は」遥香は細い声で抗議した。

「実質的には嘘って意味よ。だって吉岡君が今のまま遥香に会えば、きっと騙されたと思うわよ。だからあなただって悩んでるわけでしょ」

「そうだけど」遥香は俯《うつむ》いた。そうかもしれないが、もう少し遠回しな言い方をしてくれてもよさそうなものだと思った。

「あの写真の遥香は、ほんっとに奇麗に撮れてたもんねえ」里佳が実感のこもった口調でいった。

「そうなのよ。この間あたしがあの写真を男友達に見せたら、すっごい興奮しちゃってさあ、彩花の友達にこんなかわいい子がいるとは知らなかった、是非紹介してくれってうるさいのよ」

「それで何ていったの？」

「適当にごまかしたけど、今でも時々電話がかかってくるのよね。だから困ってんの。でも本人に会わせるわけにはいかないでしょ」そういった後、彩花は口元を手で押さえた。遥香が睨《にら》んでいることに気づいたからだ。

「あんたたち、本気で相談に乗ってくれる気あんの？」

「あるよ、あるある。だから化けるしかないっていってんじゃん」

「どうやって化けるのよ」

「あたしの知り合いにメイクアップ・アーティストの卵がいるの。彼女に任せてみよう。きっと何とかしてくれるよ。ほら、よくテレビなんかで、ごく普通の奥さんをメイクだけで女優に似せるとかしてるじゃない。あれみたいなもんよ」

「ふうん……」遥香は横を見た。この店は壁が鏡張りになっている。そこに自分の顔を映し、今の彩花のアイデアを反芻《はんすう》した。たしかにメイクでかなり化けられることは遥香も知っている。「でも、そんなにうまくいくかな。あの写真の顔みたいになるかな」

彼女の呟きを聞き、二人の友人は同時に下を向いた。それを見て、遥香の心はさらに重くなる。他人に化けようとしているのではない。写真に写った自分の顔に近づけようとするだけなのに、どうしてこうなるのだと情けなかった。

沈黙の後、里佳が顔を上げた。

「そうだ、いい方法がある。両方から攻めればいいのよ」

4

遥香の話を聞き、義孝は目を丸くした。

「写真を加工するって？」

「そう。ここにある写真の顔を、この写真の顔に近づけてほしいの」そういって彼女は数枚の写真と例の山中湖での写真をテーブルの上に並べた。

「ちょっと待てよ。事情はわかったけど、それって何かの解決になるのかよ。そりゃあ写真の加工はできるぜ。でも、最終的にはおまえが直接会わなきゃいけないんだろ。それなら写真だけ辻褄《つじつま》が合ってたって意味ないんじゃないのか」

「だから完璧《かんぺき》に加工しちゃだめなの。中途半端にしてほしいの」

「中途半端？」

「そう」

遥香の説明はこうだった。まずメイクによって彼女の顔を極力写真に近づける。しかしそれではたぶん限界があるから、一方で写真のほうを実物に近づけていくのだ。具体的には、これから何枚か吉岡トオルに写真を送るのだが、その顔を少しずつ山中湖でのものから実際の顔に近いものに変化させていく。それならば直接会った時でも、写真と実物のギャップに相手が驚くこともないだろうというわけだ。

「なるほどね。でもそこまでやる必要があるのかね」義孝は首を傾げた。

「お願い。こんなことほかの人には頼めないし、あたしは写真の加工なんて出来ないから、お兄ちゃんだけが頼りなの」遥香は父親似の顔の前で両手を合わせた。

義孝はため息をついた。「仕方ないな、やってやるよ」

「本当？　ありがとう」

「ところでこの山中湖の写真だけど、この場所ではこれ一枚しか撮ってないのか」

「それがねえ、この時に二回シャッターを押したんだけど、もう一枚のほうはうまく撮れてないの。どういうわけかハレーションのせいで、あたしの顔が真っ白になっちゃってるのよ」

「ふうん。じゃあこの写真は、ものすごい偶然が重なった賜物《たまもの》ってことなのかな」妹が美人に写っている写真を手にし、義孝は呟いた。

その日の夜、早速義孝は自室のパソコンを使い、写真の合成に挑戦することにした。彼は趣味でサイクリングをしており、旅行先の写真を自分のホームページで発表したりしているのだ。その関係で、写真加工用のソフトも持っている。

スキャナーを使い、預かった写真をまずパソコンに取り込んだ。最初にモニターに表示させたのは、遥香がビールグラスを持って笑っている写真だった。コンパの時に写したらしい。その写真の横に、例の山中湖での写真を並べてみる。さらにそれぞれの顔だけを拡大した。

このお多福顔を、こっちの顔に近づけるのかよ——義孝はパソコンの前で腕組みした。

同一人物なのだから、難しくはないはずである。しかし二枚の写真の主は、あまりにも違って見えた。いや、まるで別人ということはない。見比べてみると、いくつか共通点はある。だが全体的な印象となると、同じ人物の顔とは思えなくなるのだった。

いずれにせよ何とかしてやらなきゃな、と義孝は思う。彼は自分が父親似でなくてよかったと思っている。母親のことは覚えていないが、この顔を授けてくれたことには深く感謝している。客観的に考えても、自分の容姿は人並み以上だろうと自負してもいた。

それだけに妹のことは不憫《ふびん》でならない。兄の目から見ても、男性を夢中にさせることはないだろうと判断せざるをえなかった。彼女にボーイフレンドらしきものがいたためしがないことも知っている。何とか彼女のことを好きになってくれる男が現れないかというのが、長年の願いだった。

彼はパソコンの写真加工ソフトを使い、まずはコンパでの遥香の目を少し大きくしてみた。次に鼻を少し細くした。すると幾分山中湖の顔に近づいた。だが決定的に違う点がある。顔の大きさだ。

義孝は様々なテクニックを使い、顔に陰影をつけたり、頰《ほお》のラインを微妙に変形させたりしてみた。だがどうやっても、顔が小さく見えてくれない。

「おかしいな。そもそもこの写真の遥香は、どうしてこんなに顔が小さく見えるんだ？」

彼は思わず声に出していいながら、山中湖の遥香の顔を画面いっぱいに拡大してみた。

「うん？　どういうことだ、これは？」彼は画面に顔を近づけていった。

5

休日の午後は、ソファに寝そべってプロ野球のデーゲームを見るというのが、幸三の変わらぬ習慣だった。また数少ない楽しみの一つでもあった。そんな時には誰にも邪魔されたくない。冷凍の焼き鳥を温め、缶ビールを傾けながら贔屓《ひいき》球団の応援をしていると、彼は幸せな気分に浸れる。

彼は定年を目前に控えていた。しかし心配することなど何もなかった。もう少しすれば、義孝も遥香も社会人になる。そうすれば毎日がこんな生活になる。その時のことを考えるとわくわくした。定年になったら始めたいと思っていることも山のようにある。

二十年以上よくやってきたものだと自分でも思う。妻の洋子《ようこ》が突然死した時、遥香はまだ赤ん坊だった。義孝にしても歩くのがやっとという状態だった。そんな二人の子供を抱えての会社員生活は、口ではいい表せぬほど大変だった。親戚や近所の人たちの協力なくしては、到底乗り越えられなかっただろう。

見合いの話はいくつもあった。しかし幸三はどの話にも耳を貸さなかった。洋子ほどの女性がこの世にいるとは思えなかったからだ。もちろん二十年間一度も恋愛感情を抱かなかったわけではない。だがその思いを相手に伝えたことは一度もなかった。

洋子が生きていてくれたら、と思うことは多い。二人の子供たちが巣立った後、老後を彼女と過ごせたらどんなに素晴らしいことだろう。だがそれは叶《かな》えられない夢だ。

せめて写真を見て洋子のことを思い出そうとしても、今はそれもできなかった。子供たちにはカメラがなかったので母親の写真もないと説明しているが、じつはそうではなかった。実際には洋子の写真は何枚かあったのだ。

それを処分してしまったのは、ほかならぬ幸三自身である。洋子のことが忘れられず酒浸りになっていたある日、このままでは自分は駄目になると思い、彼女の写真をすべて燃やしてしまったのだ。無論、衝動的なものだったから、そのことを彼は深く後悔することになった。今もそうだ。せめて一枚だけでも残しておいたらどれだけ慰めになったことだろうとくよくよ考えてしまう。

テレビの中では贔屓球団の主砲がホームランを放ったところだった。それで彼は我に返った。今日はどうしてこんなことを考えてしまうのだろうと不思議だった。

夕方になって義孝が帰ってきた。

「親父、ちょっといいかい」息子は珍しく真剣な顔つきをしていた。

「うん、なんだ」

「この写真なんだけどさ」彼がテーブルに置いたのは遥香の写真だ。

「ああ、これなあ。うまく撮れてるよなあ。あいつも、撮りようによっちゃ、こんなふうに写ることもあるんだなあ」彼は老眼鏡をかけた。一人娘の顔立ちが自分に似てしまったことについて、彼は後ろめたさを感じていた。

「この写真、ちょっと変だと思わないか」

「変？　おいおい、妹が美人に写ってるからって、変っていう言いぐさはないだろう」

「そうじゃなくて、遥香の顔の輪郭をよく見てみろよ。髪の毛で陰になってるからわかりにくいけど、顔の外側にもう一つ輪郭があるんだ」

幸三は写真を凝視した。そういわれれば、そう見えないこともない。「これは何かの影じゃないのか。それともレンズの汚れかな」

義孝は首を振った。

「影でも汚れでもない。その外側の輪郭は、遥香本来のものなんだ」

「はあ？」幸三は口を開けた。「だけど顔の輪郭はちゃんとあるじゃないか」

「そうじゃないんだよ」そういった後、義孝は俯いて黙り込んだ。躊躇《ためら》っているように見えた。

やがて彼は顔を上げた。父親の目を見つめ、そしていった。

「親父、その写真はさ、心霊写真なんだ」

「えっ……」

「じつをいうと今日、そういうことに詳しい人に会って、写真を見てもらってきた。それは心霊写真に間違いないそうだ」

「どこが、どこが……心霊写真なんだ」幸三の手が震えだした。

「その、遥香の顔に見えてるのがそうなんだ。それはあいつの顔じゃない。霊の顔が写ってるんだよ。遥香の話によると、同じ条件で撮ったもう一枚の写真じゃ、あいつの顔はハレーションで真っ白になっているそうだ。この写真だって、本来はそうなっているはずだった。ところが真っ白な顔の上に霊の顔が乗っかったんで、そんなふうに遥香の顔みたいに写ったんだよ」

「そんな……馬鹿な」

「でもそう考えたほうが筋が通るんじゃないのか。だから親父に確認したかったんだ。その顔はもしかしたら、俺たちのお母さんじゃないのか」

義孝に問われても幸三は即座に答えられなかった。そんなことがあるわけないと思う一方で、この写真を目にした時の奇妙な感覚についても説明がつくとも思う。初めて見せられた時、心が揺さぶられるような懐かしさを感じたのだ。

「洋子が……どうして」

「それは俺にもわからないけどさ」義孝は目を伏せた。

幸三は写真を見つめ続けた。見れば見るほど、そこにあるのは亡き妻の顔としか思えなくなってきた。洋子は彼に向かって笑いかけていた。

彼の目が写真右下に向いた。そこには日付が表示されている。「八月二十三日……か」

義孝も写真を覗き込んできた。「それがどうかしたのか」

「八月二十三日……山中湖」彼は大きく頷いた。「そうか」

「なんだよ、急に大きな声を出して」

「いや、何でもない」幸三は首を振った。「ところで遥香はどこに行ってる?」

「遥香かい。ええと、何でも知り合いのメイクアップ・アーティストのところへ行くとかいってたけど」

「そうか」

幸三は写真に目を戻した。

八月二十三日。それは初めて彼が洋子とデートした日だ。行き先は山中湖だった。この写真も山中湖の畔《ほとり》で撮られたものなのだろう。

毎年その日になると、おまえはあの思い出の場所に行ってるんだな——あの世の妻に語りかけた。そして今年は、その日たまたま娘が現れた。洋子の霊はたまらず近づき、写真に写ってしまったというわけか。

奇跡だなと彼は呟き、思いがけず手に入った妻の写真を眺めながら缶ビールを傾けた。

解説

奥田英朗

先日、某出版社の文芸編集者同士が職場結婚し、披露宴に招かれる機会を得た。新婦の担当する作家を代表して挨拶をしたのは赤川次郎さんで、赤川さんは、「作家と編集者は二人三脚で、彼女は自分にとってとても重要な仕事のパートナーである」というようなスピーチをし、新婦に最大級の賛辞を送った。さすがは大人の赤川先生である。

一方、新郎の担当する作家を代表したのは東野圭吾で、東野氏は、「ただいま赤川先生は、作家と編集者は二人三脚だとおっしゃいましたが、ぼくの場合は全部一人でやります。装丁も帯も自分で考えます。彼を必要とするのは呑み相手が欲しいときだけです」とかまし、満場の笑いを誘った。もちろん信頼関係があっての悪口であるが、きつい本音の炸裂に、わたしは東野圭吾の諧謔性を見る思いがした。彼は社交辞令を受け付けないのだ。

「キャリアは二十年だが、十四年間は売れなかった」（本人談）という東野圭吾は、当然のごとく人間を見ている。それは周囲がてのひらを返す瞬間だ。『秘密』がベストセラーになるや、編集者たちが揉《も》み手《て》をして「東野詣で」をするようになった。冷たかった人物までが愛想を振り撒くようになった。見たわけではないが、そうに決まっている。小説家志望のみなさんに言っておくと、編集者が情熱を注ぐのは賞を獲れそうな新人と売れる作家に対してだけである。あとは見事に放っておかれる。「お仕事」と割り切った編集者に原稿を渡すのはつらいものだ。東野圭吾は、そういう時期を経験している。だからこの小説家は、神輿《みこし》として簡単には担がれない。常に一定の距離を保ち、冷静に人を見る。彼の文章には、編集者をはじめとして世間全般を信じていない節がある。平気で梯子《はしご》を外す。『毒笑小説』『怪笑小説』に続く、ブラックユーモア・シリーズの三作目にあたる本書は、その性癖が長編執筆のガス抜き（あるいは毒抜き）として現れた短編集だと、わたしはとらえている。

収められた十三編はどれも面白いが、同業者として笑いながらも胸を締め付けられるのは、文壇を俎上に載せた「もうひとつの助走」「線香花火」「過去の人」「選考会」の四編である。一般読者は無邪気に笑うだけだろうが、ここで綴られているのは小説家の孤独の叫びだ。一人で一字一字を紡いでいく作業がどんなものなのか、わかっているのかコノヤローと、東野圭吾は佃島の夜空に向かって叫んでいるのである。幾度も登場する売れない作家・寒川心五郎先生は、明日の東野圭吾か奥田英朗かもしれない。それを自覚しているからこそ、求めながらも編集者をおちょくるのだ。

わたしが東野圭吾を見るのは、銀座のバーにおいてだ。たいてい日付が変わる頃、一人でぶらりと現れ、馴染みのママや店の女の子を相手に馬鹿話をしている。彼について知っていることはそれだけだ。だから勝手な思い込みを書いてしまった。ご容赦を。

（初出『小説すばる』二〇〇五年五月号）

この作品は二〇〇五年四月、集英社より刊行されました。

怪笑小説

東野圭吾

年金暮らしの老女が芸能人のおっかけにハマった。乏しい財産を惜しげもなくつぎ込み始めるが――（「おっかけバアさん」）。皮肉な笑いをぎっしり詰め込んだ傑作短編集。

集英社文庫

毒笑小説

東野圭吾

誘拐してでも孫に会いたい。暇を持て余す爺さん仲間が思いついたスゴい計画とは……(「誘拐天国」)。身の毛もよだつ可笑しさと恐ろしさ。毒のある笑いを極めた会心の短編集。

集英社文庫

集英社文庫

黒笑小説《こくしょうしょうせつ》

2008年4月25日　第1刷　　定価はカバーに表示してあります。

著　者　東野圭吾《ひがしのけいご》

発行者　加藤　潤

発行所　株式会社 集英社

東京都千代田区一ツ橋2-5-10　〒101-8050

電話　03-3230-6095（編集）

03-3230-6393（販売）

03-3230-6080（読者係）

印　刷　凸版印刷株式会社

製　本　加藤製本株式会社

フォーマットデザイン　アリヤマデザインストア　　マークデザイン　居山浩二

本書の一部あるいは全部を無断で複写複製することは、法律で認められた場合を除き、著作権の侵害となります。

造本には十分注意しておりますが、乱丁・落丁（本のページ順序の間違いや抜け落ち）の場合はお取り替え致します。購入された書店名を明記して小社読者係宛にお送り下さい。送料は小社負担でお取り替え致します。但し、古書店で購入したものについてはお取り替え出来ません。

© K. Higashino 2008　Printed in Japan

ISBN978-4-08-746284-5 C0193